MI PRIMER DICCIONARIO ILUSTRADO

Edición Bilingüe

MY FIRST PICTURE DICTIONARY

Bilingual Edition

EDICIONES PLESA

Polígono Industrial de Pinto. MADRID (España)
Dep. legal: M.31478 - 1974
I.S.B.N.: 84-7374-002-5
Impreso en España - Printed in Spain
MELSA. Pinto. MADRID

PRESENTACIÓN

Los tiempos actuales nos exigen, como nunca antes, la necesidad de entendimiento en las comunidades en que conviven hispanohablantes con anglófonos.

Pensando en los niños y aún en algunos adultos de estas agrupaciones humanas tan frecuentes, hemos elaborado un instrumento bilingüe muy funcional que permita y fomente un entendimiento inicial.

El método es simple; pero en la práctica se ha revelado como altamente eficaz. La IMAGEN es un puente que garantiza la comunicación.

No ha sido fácil la elección de las distintas acepciones. Pero gracias a la ayuda que hemos recibido de numerosos profesores, editores, estudiantes e intelectuales de diversos países hemos logrado una síntesis satisfactoria que garantiza un aceptable nivel de entendimiento de las voces que se incluyen.

Con ellas hemos querido integrar un vocabulario usual que constituya la estructura nuclear y básica de un proceso comunicativo de doble sentido: castellano-inglés e inglés-castellano.

Con esta ilusión hemos trabajado,

Autores y Editores

INTRODUCTION

Current events are forcing us to communicate within societies in which Spanish and English speaking peoples live and commingle.

We have elaborated an efficiently functional vehicle that will easily permit and initiate in the basic arts of communication and understanding.

Our method is simple but direct. The IMAGE or PICTURE is a bridge that guarantees communication and the bilingual description gives definition.

It has not been easy to select the fine meanings of some of the pictures as they vary depending on locality, use and custom. Thanks to the help of numerous native educators and professionals, we have been able to synthesize and guaranty you the parent a highly technical level of accuracy.

With these word-pictures we have integrated a common vocabulary that constitutes the nucelus of the communicative process that is truly bilingual: Spanish-English and English-Spanish.

With these goals in mind we hope that you the parent and the child will profit from our endeavors,

Authors & Editors

INDICE-INDEX

Pág.

Yo - **I** 5
Mi cuerpo - **My body** 6
Mi cara, mi rostro - **My face** 7
Mi familia - **My family** 8
Mis juguetes - **My toys** 9
Los juguetes de Susana - **Susan's toys** 10
Nuestros vestidos - **Our clothes** 11
Mi casa - **My home** 13
Mi cuarto, mi dormitorio - **My bedroom** 14
Las habitaciones - **Rooms** 15
El comedor - **Dining room** 17
Las personas, la gente - **People** 18
Los alimentos - **Food** 21
Frutas y verduras - **Fruits and vegetables** 23
El postre - **Dessert** 25
Las bebidas - **Drinks** 27
La ciudad - **The city** 28
Los sitios, los lugares - **Places** 30
En el campo - **In the country** 34
La granja, el rancho - **Farm** 36
El zoológico - **Zoo** 40
Otros animales - **Other animals** 44
Los vehículos - **Vehicles** 46
El transporte - **Transportation** 47
El oficio o profesión - **The job or occupation** 48
Las herramientas - **Tools** 50
Las máquinas que nos ayudan. Los aparatos útiles - **Useful Machines** 52
Las cosas - **Things** 54
Los colores - **Colours** 57
Lo que hacemos - **What we do** 58
El tiempo - **The weather** 65
¿Qué tiempo hace? - **What's the weather like?** 67
Las preguntas - **Questions** 69
¿Qué es ésto? - **What is this?** 70
¿Quién es quién? - **Who is who?** 71
¿Dónde está? - **Where is it?** 72
¿Dónde? - **Where?** 74
¿Dónde está? - **Where is it?** 76
¿Cómo es? - **What is it?** 77
Otras palabras necesarias - **Other useful words** 78
Vocabulario ESPAÑOL-INGLES - **Vocabulary SPANISH-ENGLISH** 81
Vocabulario INGLES-ESPAÑOL - **Vocabulary ENGLISH-SPANISH** 89

YO **I**

Yo soy Juan
I am John

Yo soy un niño
I am a boy

Mi nombre es Juan
My name is John

un niño
a boy

una niña
a girl

MI CUERPO

MY BODY

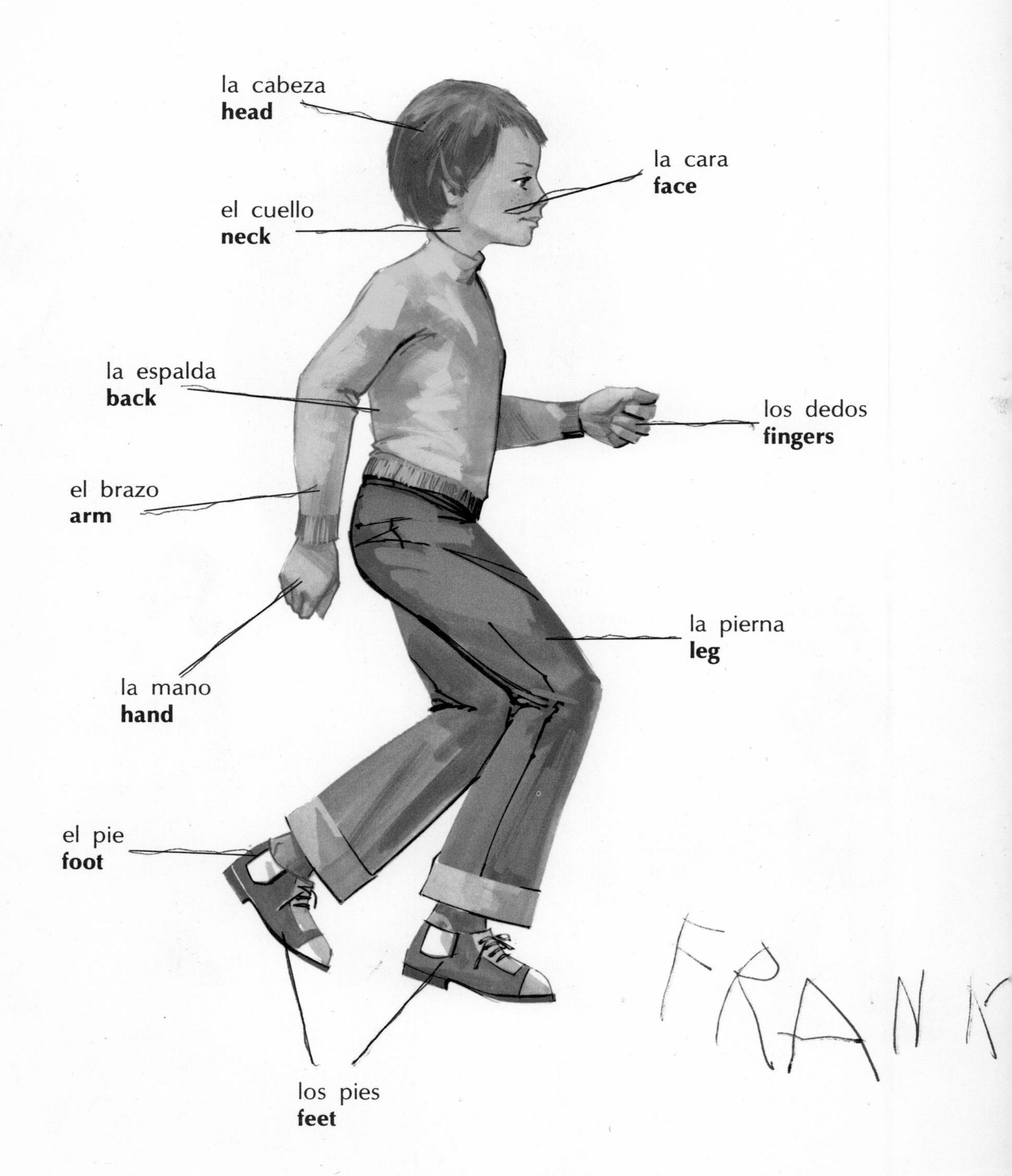

MI CARA
MI ROSTRO

MY FACE

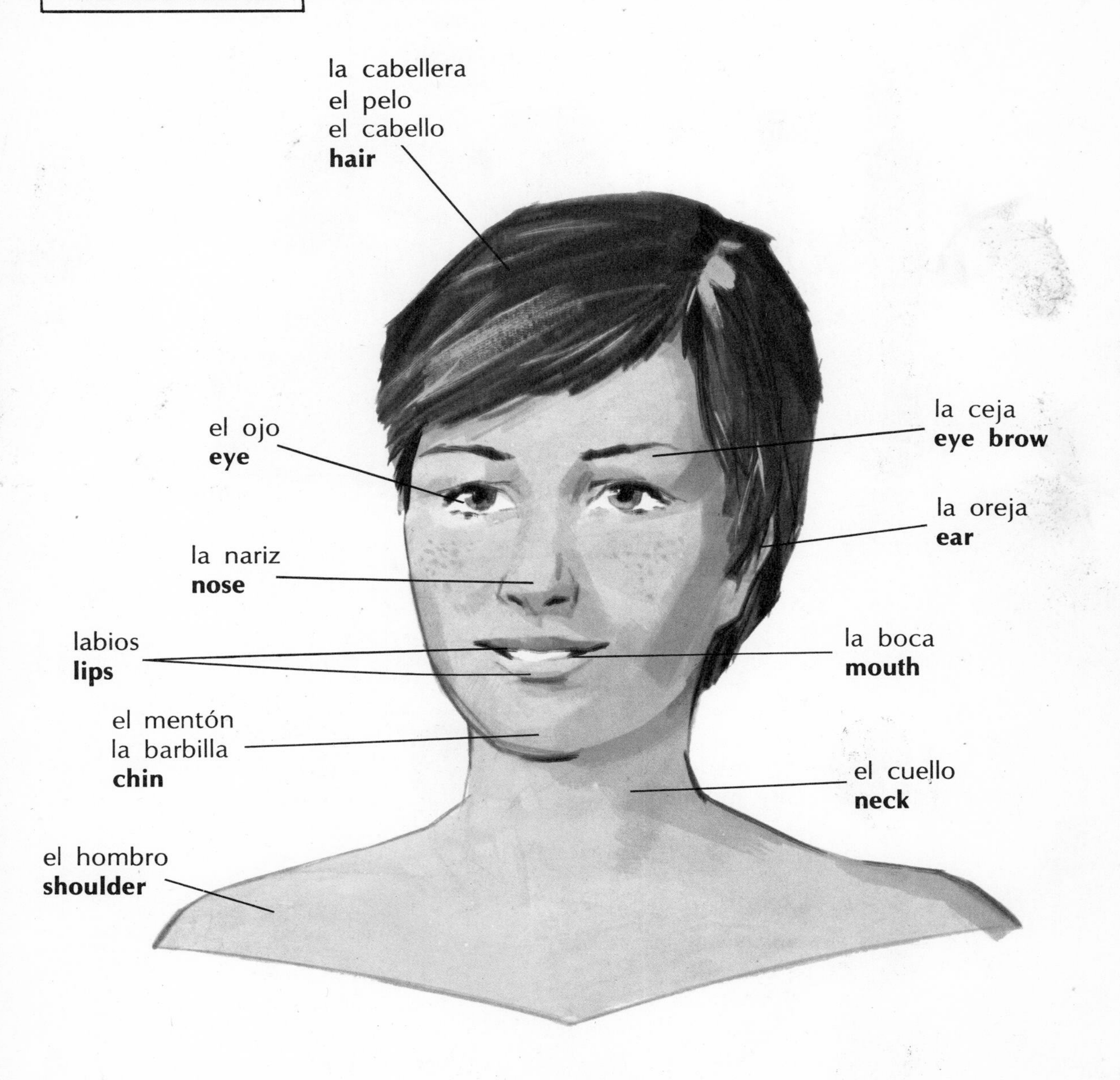

MI FAMILIA

MY FAMILY

Este es un retrato de mi familia
This is a picture of my family

yo
I

mi madre
my mother

mi padre
my father

mi hermana
my sister

mi hermano
my brother

mi abuela
my grandmother

mi abuelo
my grandfather

mamá
mom, mother

papá
dad, father

MIS JUGUETES

MY TOYS

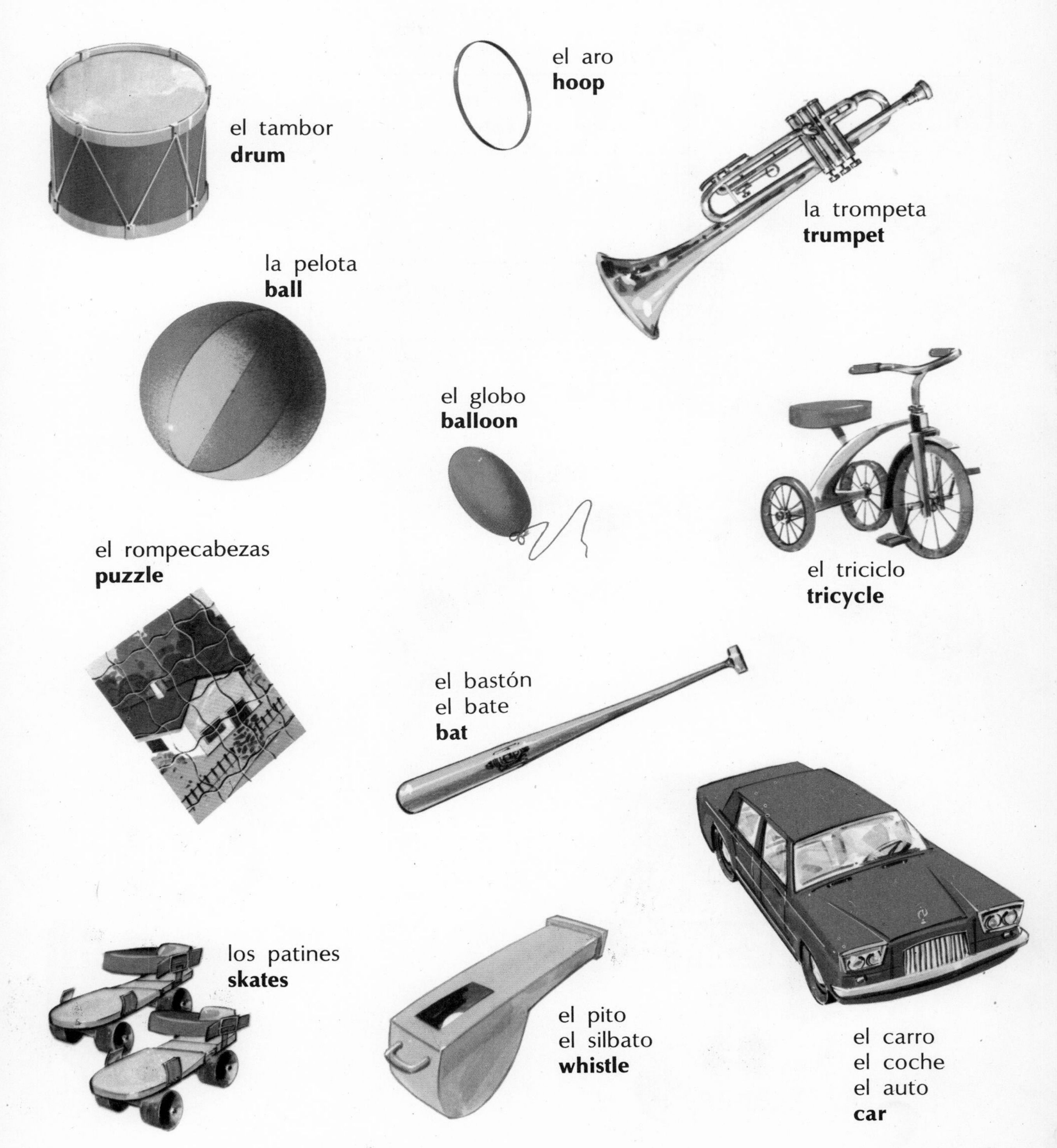

LOS JUGUETES DE SUSANA

SUSAN'S TOYS

Yo soy un niño
I am a boy

Susana es mi hermana
Susan is my sister

Susana es una niña
Susan is a girl

Estos son los juguetes de Susana
These are Susan's toys

la muñeca
doll

la guitarra
guitar

el yo-yo
yo-yo

el juego
game

los dados
dice

NUESTROS VESTIDOS

OUR CLOTHES

el vestido
dress

el jersey
el suéter
sweater

el traje
el terno
suit

la blusa
blouse

el abrigo
coat

la camisa
shirt

los pantalones
los calzones
pants
slacks
trousers

la falda
la pollera
skirt

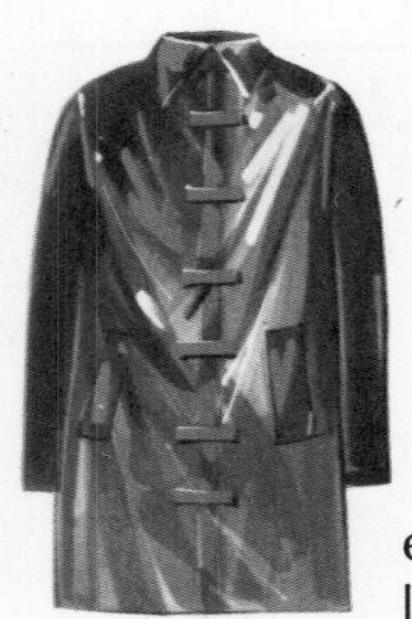

el impermeable
la capa de agua
raincoat

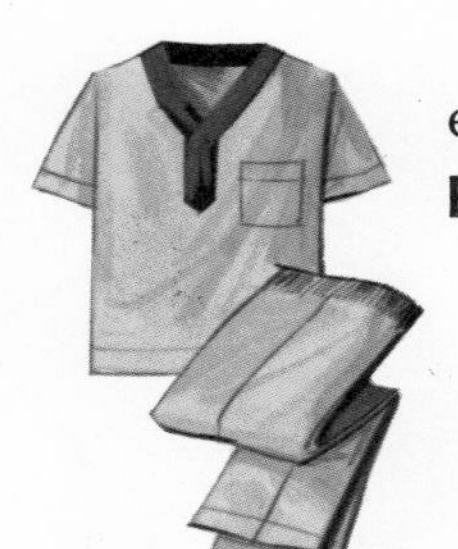

el pijama
pajamas

la chaqueta
el saco
jacket

la cazadora
la casaca
wind breaker

el delantal
el mandil
apron

los zoquetes
los calcetines
socks

los guantes
gloves

la corbata
tie

la gorra
cap

los zapatos
shoes

las botas
boots

el cinturón
belt

la casa
house

la puerta
door

las ventanas
windows

el tejado
roof

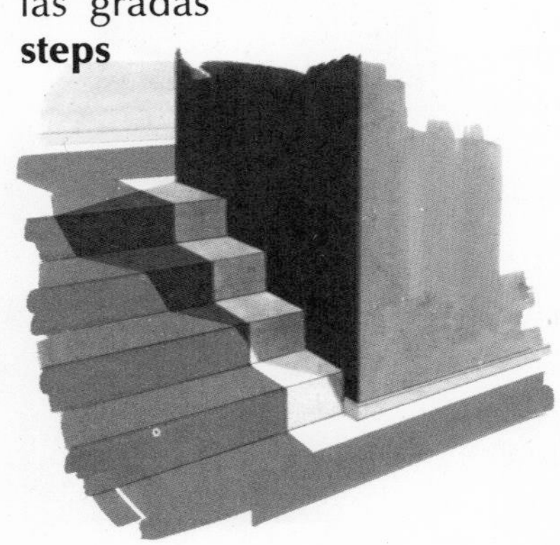

los escalones
las gradas
steps

el buzón
mailbox

la cerca
la valla
la verja
fence

MI CUARTO
MI DORMITORIO

MY BEDROOM

Este es mi cuarto
This is my bedroom

la cama
bed

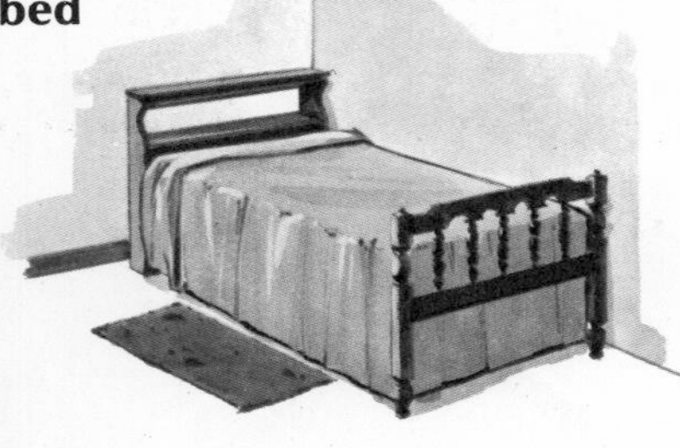

los cuadros
pictures

la alfombra
carpet
rug

la almohada
pillow

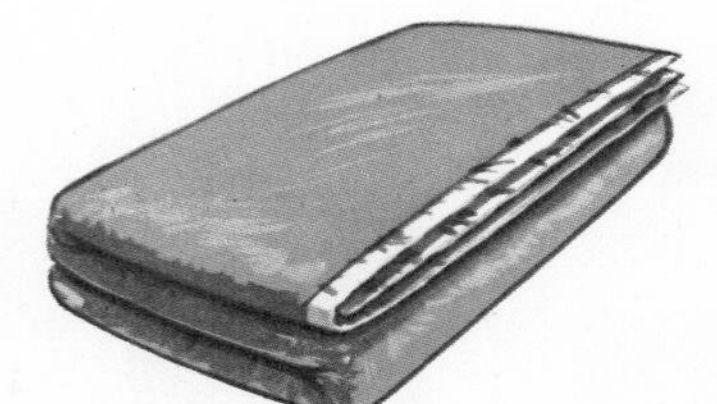

la manta
la cobija
la frazada
blanket

el ropero
el armario
wardrobe

la lámpara
lamp

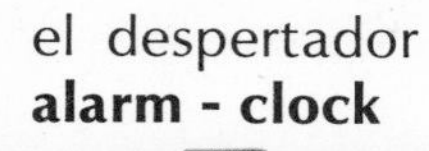
el despertador
alarm - clock

el velador
la mesita de noche
la mesita de luz
night table

el cuarto de baño
bathroom

el elevador
el ascensor
lift
elevator

el lavabo
el lavatorio
washbowl

el inodoro
el retrete
toilet

el comedor
dining room

el pasillo
el corredor
corridor

el vestíbulo
el zaguán
hall

la cocina
kitchen

la sala de estar
living room

EL COMEDOR

DINING ROOM

la mesa
table

las sillas
chairs

el sillón
la butaca
armchair

el aparador
la cómoda
sideboard

el mantel
table cloth

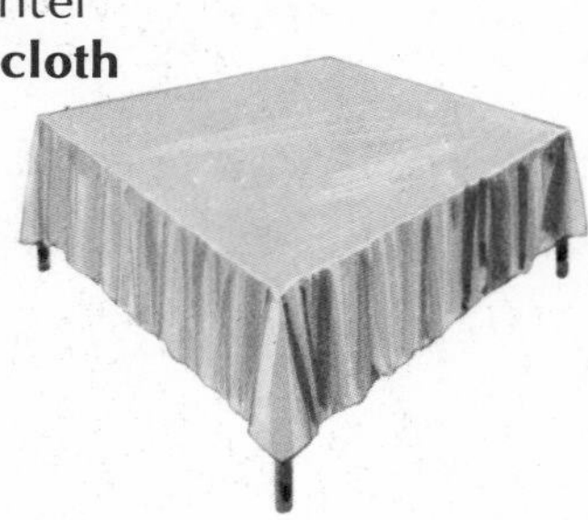

la servilleta
napkin

la cuchara
spoon

el vaso
glass

el plato
plate

el cuchillo
knife

el tenedor
fork

aceite y vinagre
oil and vinegar

el salero
salt shaker

la taza
cup

el tazón
bowl

LAS PERSONAS
LA GENTE

PEOPLE

yo soy un muchacho
I am a young boy

la muchacha
la niña
child (girl)

el muchacho
el niño
child (boy)

los niños
los muchachos
children

el joven
young man

la joven
young lady

la guagua
el bebé
el nene
el niño pequeño
baby

los bebés
babies

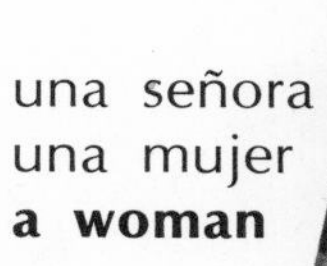

una señora
una mujer
a woman

unas señoras
unas mujeres
women

un señor
un hombre
a man

unos señores
unos hombres
men

viejo, anciano
old man

vieja, anciana
old woman

I = yo

you = tú

he = él

she = ella

we = nosotros

you = vosotros

they = ellos

LOS ALIMENTOS

FOOD

Nosotros comemos alimentos
We eat food

la carne
meat

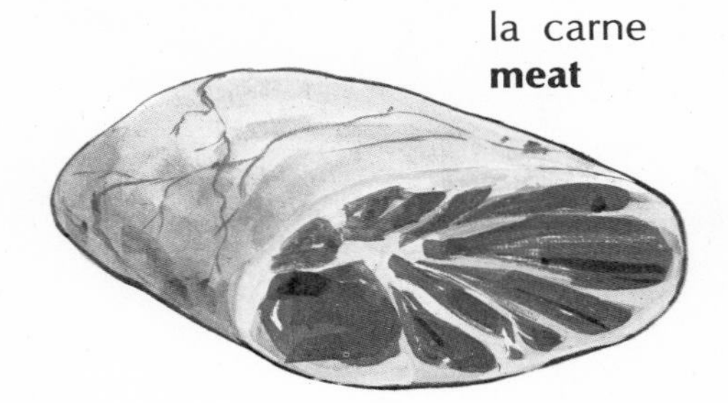

una chuleta
a chop

los huevos
eggs
los huevos fritos
fried eggs

carne asada
asado de vaca
roast beef

el bocadillo
el emparedado
sandwich

la manteca
la mantequilla
butter

pollo
chicken

pan
bread

sopa
caldo
consomé
soup

hamburguesa
la frita
hamburger

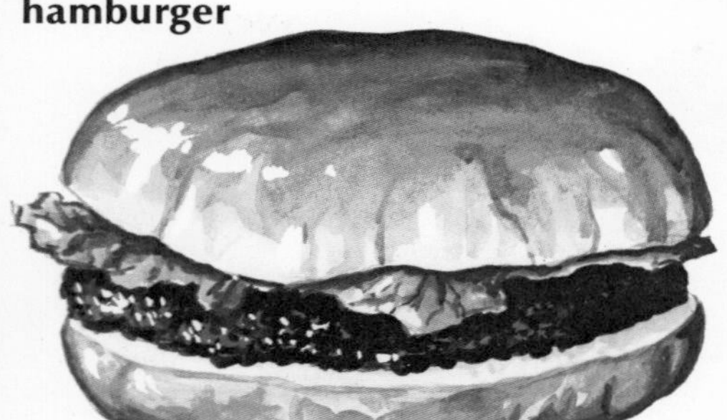

queso
cheese

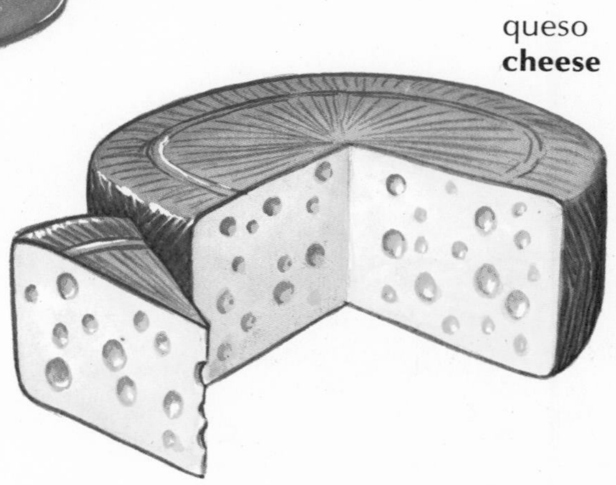

salchichas
sausages

azúcar
sugar

FRUTAS Y VERDURAS

FRUIT AND VEGETABLES

las patatas
las papas
potatoes

la lechuga
lettuce

el tomate
tomato

las zanahorias
carrots

el maíz
el choclo
corn

las uvas
grapes

la pera
pear

la manzana
apple

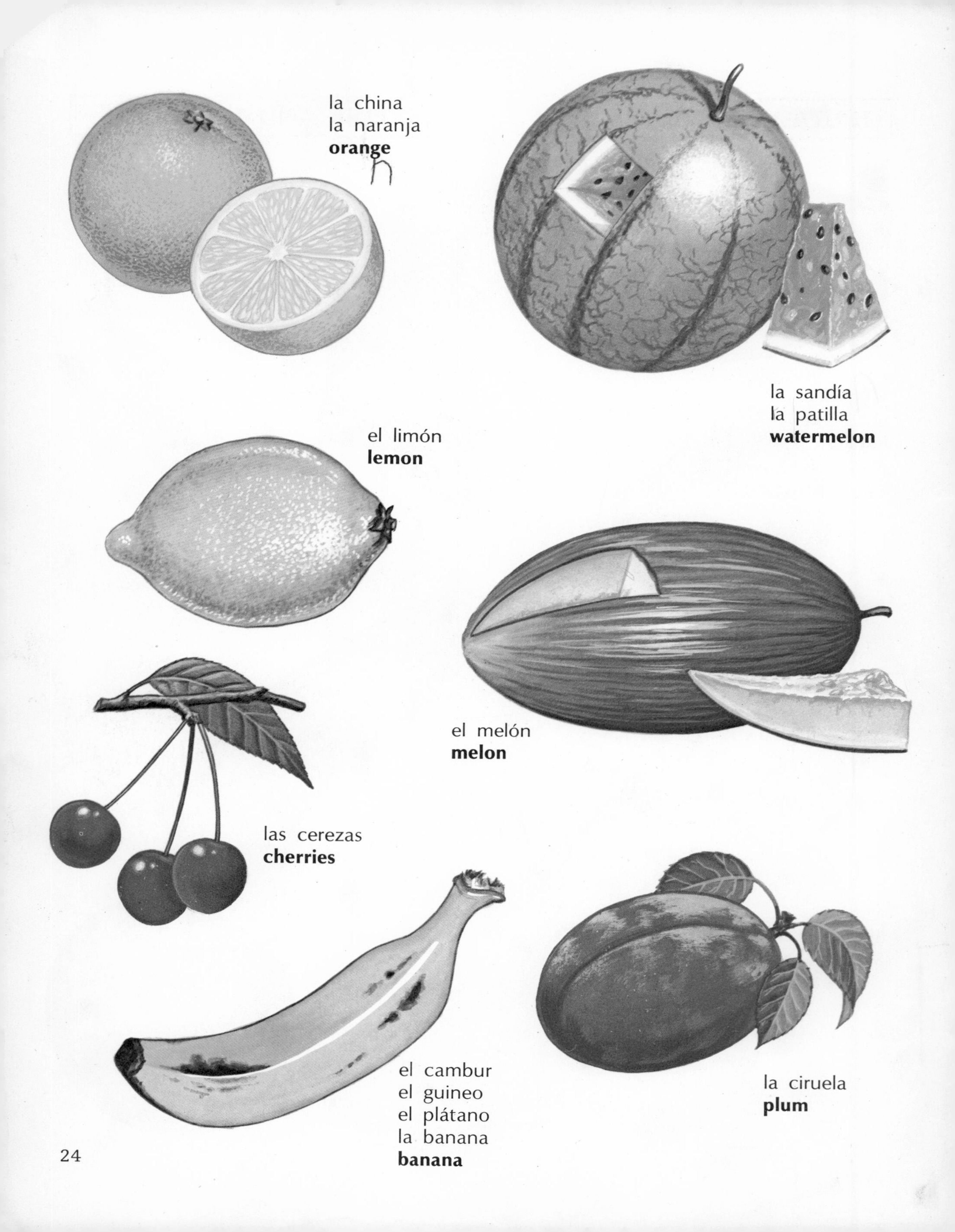
la china
la naranja
orange
la sandía
la patilla
watermelon
el limón
lemon
el melón
melon
las cerezas
cherries
el cambur
el guineo
el plátano
la banana
banana
la ciruela
plum

EL POSTRE

DESSERT

las masitas
los pasteles
los dulces
cupcakes

la tarta de chocolate
la torta de chocolate
chocolate cake

el queque
el bizcocho
la torta
el pastel
cake

el helado de cucurucho
el barquillo de helado
ice cream cone

el helado
ice cream

las galletas
las pastas
cookies

el budín
el pudin
pudding

los bombones
sweets

la gelatina
jell-o

la jalea
la mermelada
jelly
jam

las pastillas
los caramelos
los confites
candy

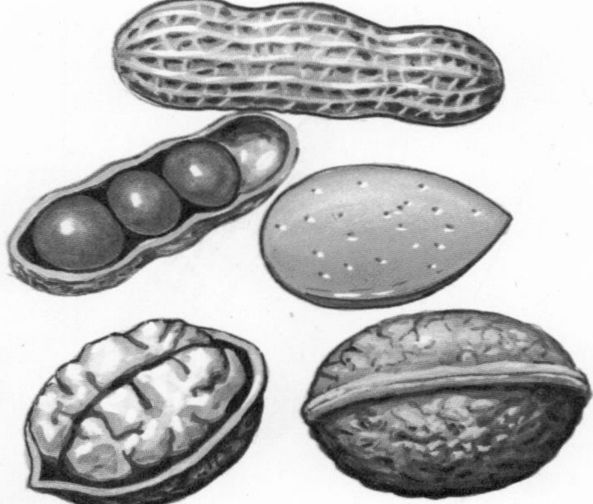

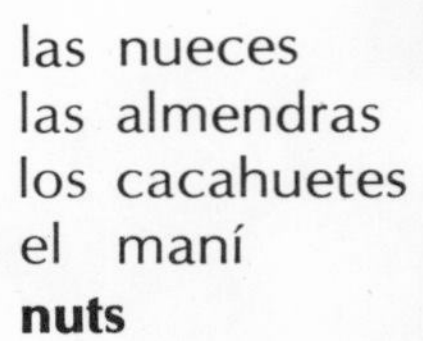

las nueces
las almendras
los cacahuetes
el maní
nuts

LAS BEBIDAS

DRINKS

la leche
milk

la leche es una bebida
milk is a drink

el agua
water

el vino
wine

un refresco
an iced drink

zumo de limón
jugo de limón
lemon juice

el café
coffee

chocolate con leche
un batido de chocolate
cacao con leche
chocolate milk

una taza de té
a cup of tea

una botella de cerveza
a bottle of beer

la calle
la calzada
street

la acera
la vereda
sidewalk

el semáforo
traffic lights

el farol
la farola
lampost

la plaza
square

la esquina
corner

la avenida
avenue

el jardín
garden

la fuente
fountain

el parque
park

el agente
el policía
el guardia
policeman

LOS SITIOS, LOS LUGARES

PLACES

la iglesia
church

En la ciudad
In the city

la escuela
school

el hospital
hospital

correos
post office

la vitrina
el escaparate
shop window

telégrafos
telegraph office

la biblioteca
library

el museo
museum

el banco
bank

el restaurante
restaurant

la farmacia
drugstore

el cine
movies
cinema

el teatro
theater
theatre

el circo
circus

el aeropuerto
airport

el mercado
el supermercado
supermarket

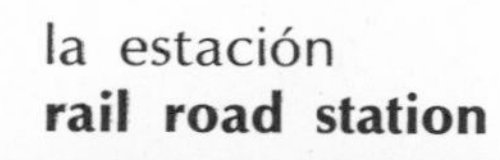

la estación
rail road station

el centro comercial
shopping center

el parque de recreo
playground

el quiosco de periódicos
newspaper stand

la peluquería
la barbería
hairdresser
barber shop

EN EL CAMPO

IN THE COUNTRY

el cielo
sky

el bosque
forest

la granja
el rancho
farm

la huerta
garden

el campo de labor
la finca
field

la montaña
mountain
el lago
lake

el mar
sea
la isla
island
la playa
beach

el valle
valley

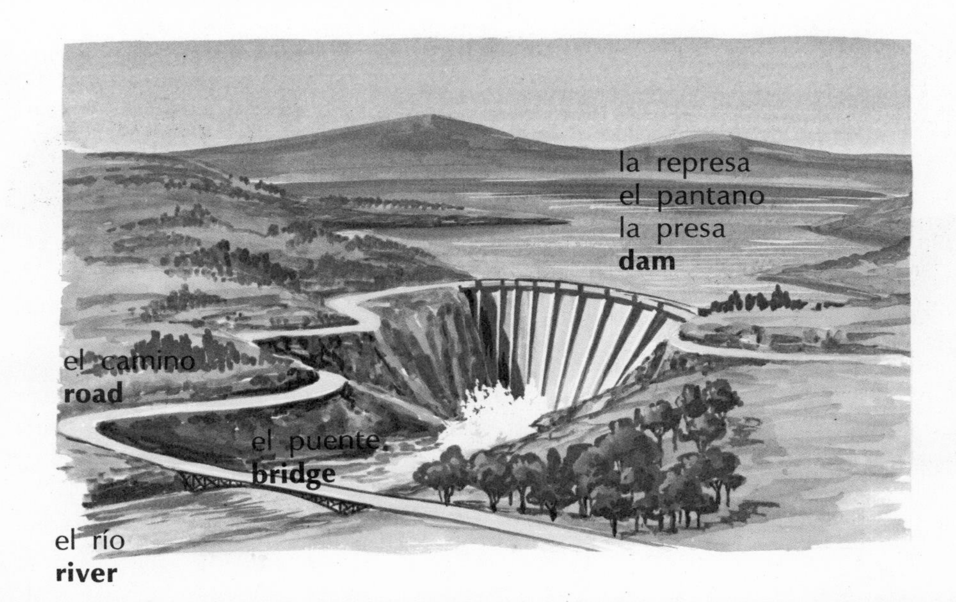
la represa
el pantano
la presa
dam
el camino
road
el puente
bridge
el río
river

LA GRANJA
EL RANCHO

FARM

el gallo
rooster

los pollitos
chicks

la gallina
hen

el toro
bull

el ternero
el becerro
calf

la vaca
cow

el perro
dog

el gato
cat

el gatito
kitten

el cocono
el guajalote
el pavo
turkey

el ganso
goose

los perritos
los perrillos
los cachorros
puppies

el caballo
horse

el burro
el asno
donkey

el potro
el potrillo
colt

el chancho
el cerdo
el puerco
el marrano
pig

la cabra
goat

el cabrito
kid

el pato
duck

el carnero
sheep (ram)

el cordero
lamb

la oveja
sheep (ewe)

el cisne
swan

la paloma
el pichón
dove
pigeon

EL ZOOLOGICO

Yo visito el zoológico
I visit the zoo

ZOO

el león
lion

el elefante
elephant

el tigre
tiger

el oso
bear

la jirafa
giraffe

el hipopótamo
hippopotamus

el rinoceronte
rhinoceros

el mono
monkey

el camello
camel

el cocodrilo
crocodile

el castor
beaver

el zorro
fox

la cebra
zebra

el reno
reindeer

la mofeta
skunk

el lobo
wolf

el ciervo
el venado
deer

el canguro
kangaroo

OTROS ANIMALES

OTHER ANIMALS

la mariposa
butterfly

el águila
eagle

el canario
canary

la mosca
fly

el pez
fish

el ratón
mouse

la tortuga
turtle

el pájaro
bird

la rana
frog

el lagarto
la lagartija
lizard

la ballena
whale

Los vehículos

Vehicles

el tren
train

el automóvil
el carro
el coche
car

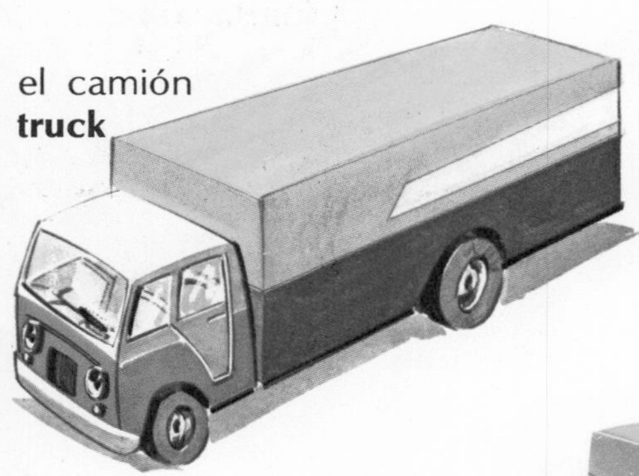

el camión
truck

el taxi
el coche de punto
el carro de sitio
cab, taxi, taxicab

la furgoneta
la camioneta
el carretón
el furgón
truck

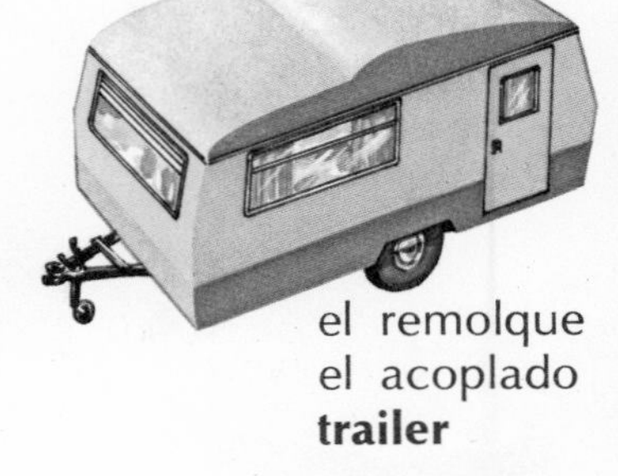

el remolque
el acoplado
trailer

la moto
motorcycle

el metro
el subte
subway
underground
the tube

el autobús
bus

EL TRANSPORTE

TRANSPORTATION

el barco
el buque
el vapor
el navío
ship

la barca
el bote
boat

el trasatlántico
transatlantic

la aeronave
airship

reactor
jet

el avión
el aeroplano
airplane

la lancha
motorboat
launch

el helicóptero
helicopter

EL OFICIO O PROFESION

THE JOB OR OCCUPATION

el marinero
sailor
seaman

el artista
artist

el profesor
el maestro
teacher

el panadero
baker

el trabajador
el obrero
workman

el carnicero
butcher

la enfermera
nurse

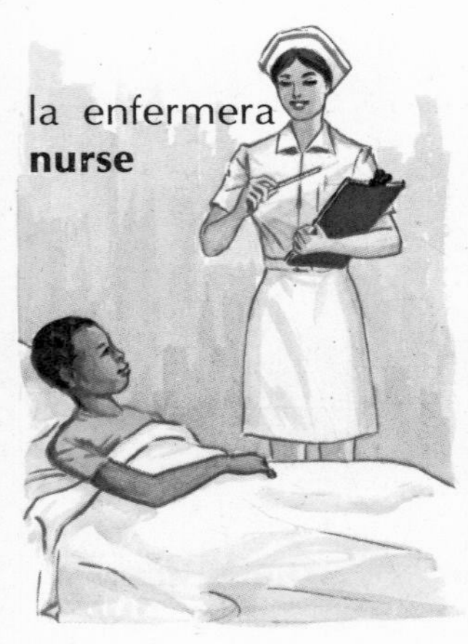

la vendedora
el vendedor
el - la dependiente
saleslady
salesman
salesclerk

el zapatero
shoemaker

el mecánico
mechanic

el carpintero
carpenter

el plomero
el fontanero
el gásfiter
plumber

el camarero
el mozo
el mesero
waiter

el conductor
el chófer
driver

el peluquero
el barbero
hairdresser
barber

el bombero
fireman

el médico
el doctor
doctor

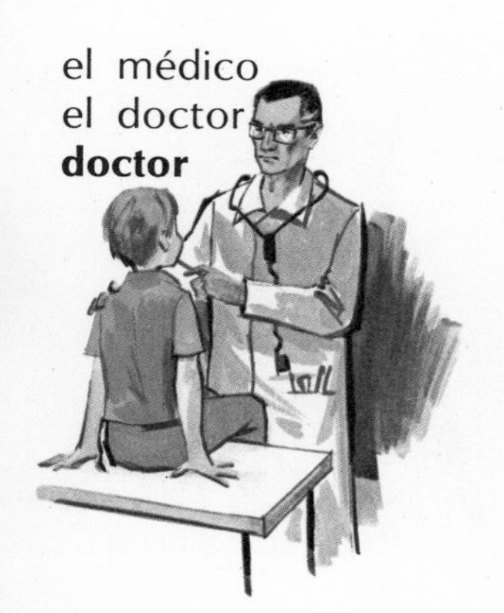

el farmacéutico
el boticario
pharmacist
chemist

la mecanógrafa
typist

LAS HERRAMIENTAS

TOOLS

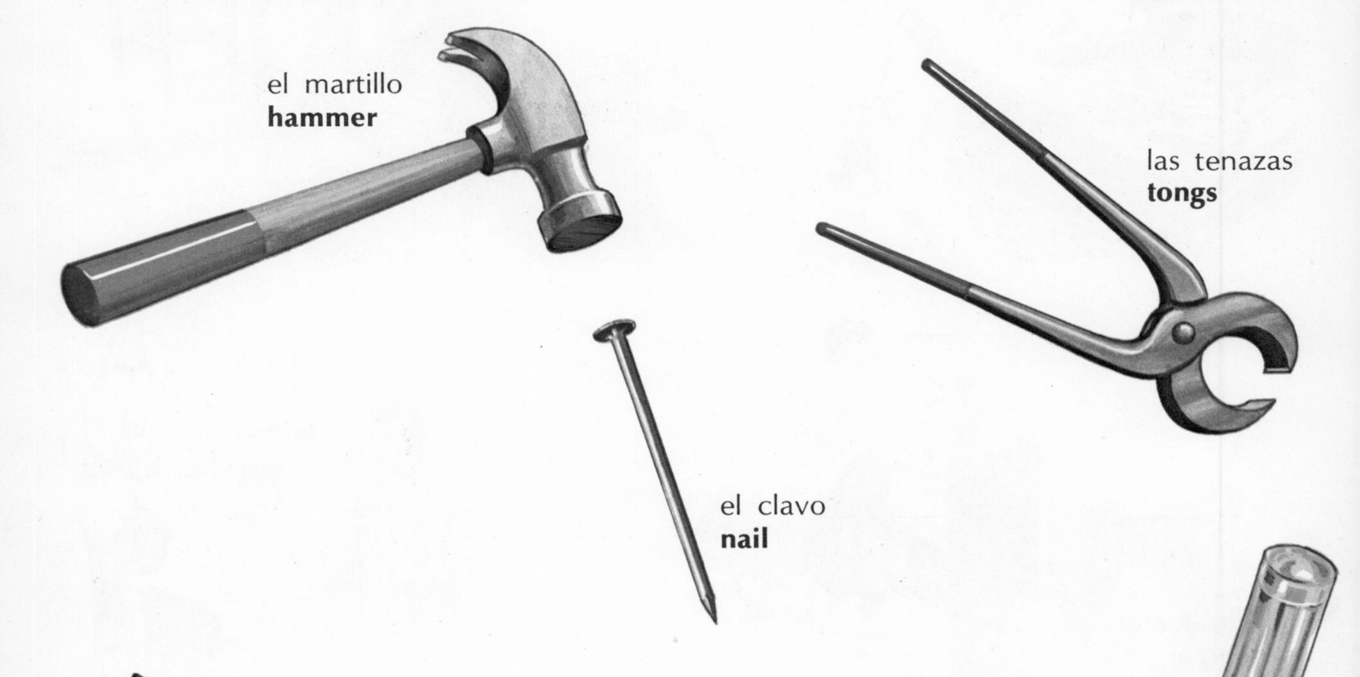

el martillo
hammer

las tenazas
tongs

el clavo
nail

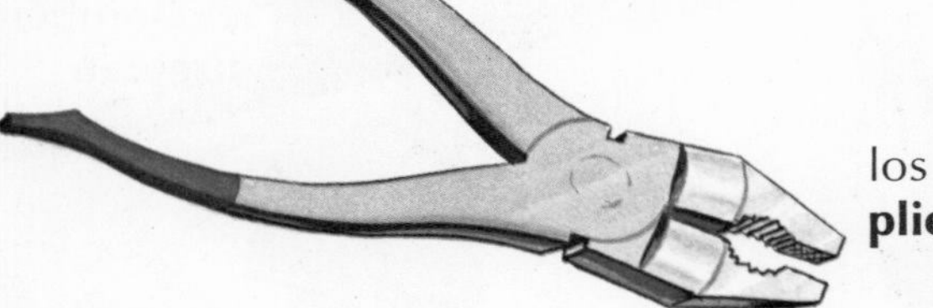

los alicates
pliers

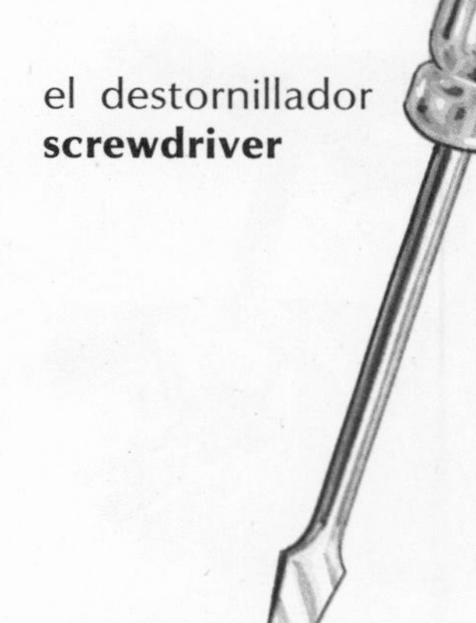

el destornillador
screwdriver

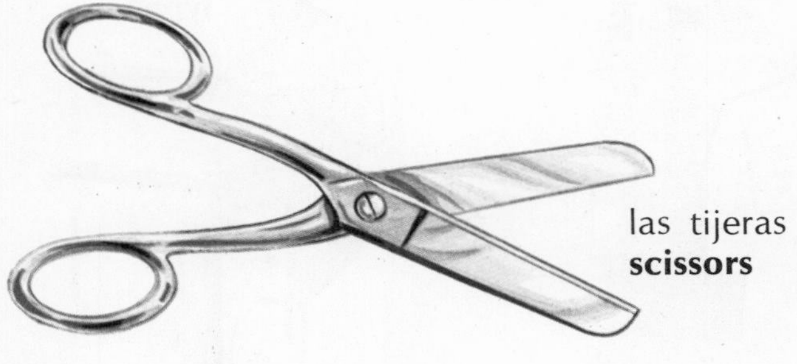

las tijeras
scissors

el tornillo
screw

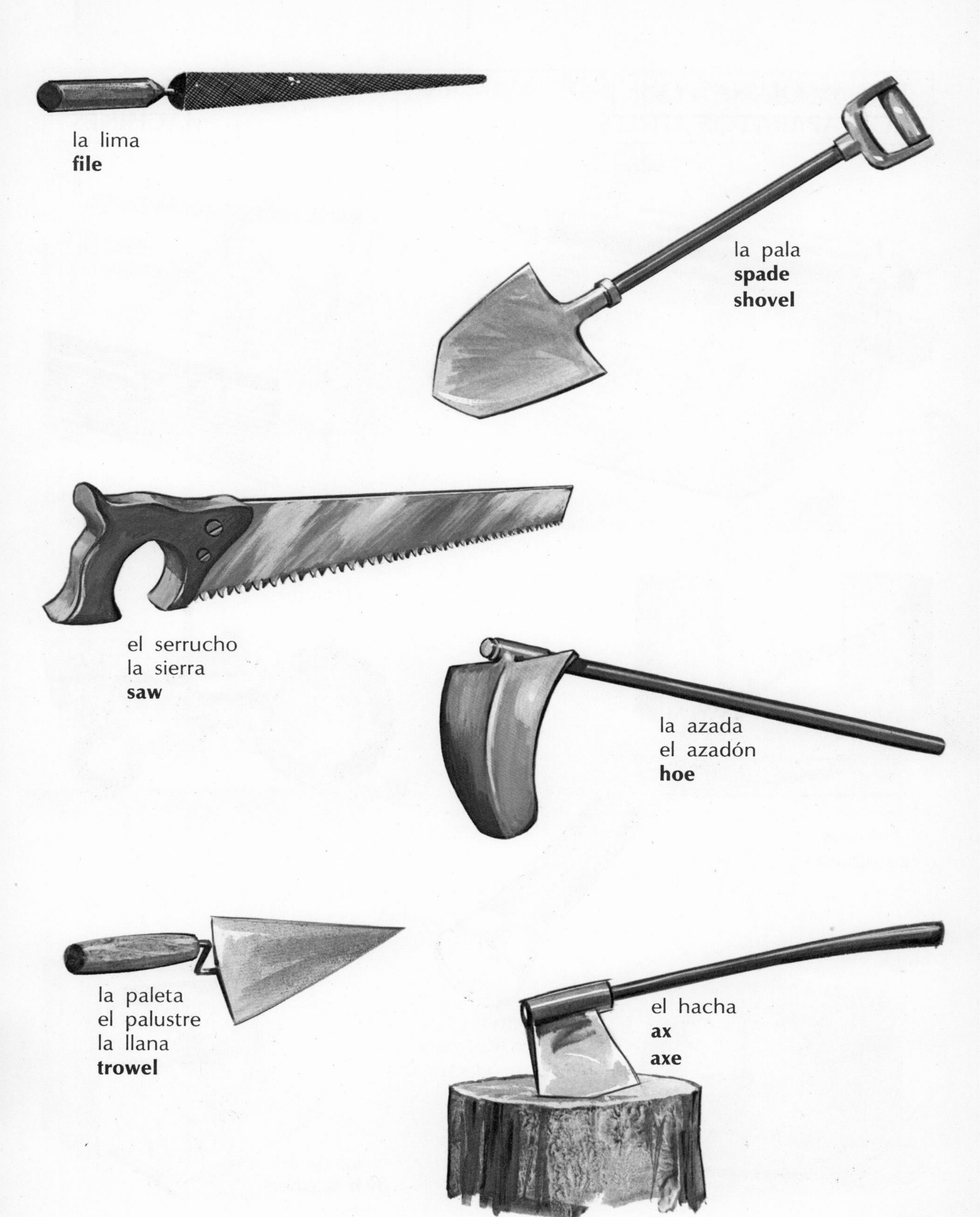
la lima
file
la pala
spade
shovel
el serrucho
la sierra
saw
la azada
el azadón
hoe
la paleta
el palustre
la llana
trowel
el hacha
ax
axe

LAS MAQUINAS QUE NOS AYUDAN
LOS APARATOS UTILES

USEFUL
MACHINES

la máquina de escribir
typewriter

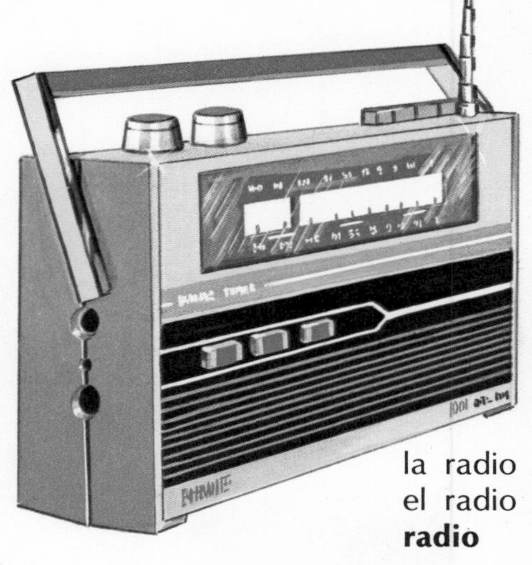

la radio
el radio
radio

el tractor
tractor

el tocadiscos
el fonógrafo
recordplayer

el reloj
clock

la linterna
el foco de mano
lámpara eléctrica
flashlight

el lavaplatos
dish washer

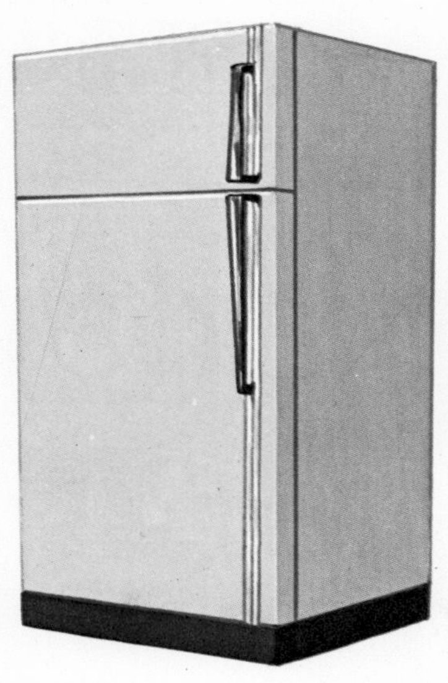

la nevera
el frigorífico
el refrigerador
refrigerator

el televisor
television
T.V.

el reloj de pulsera
wrist watch

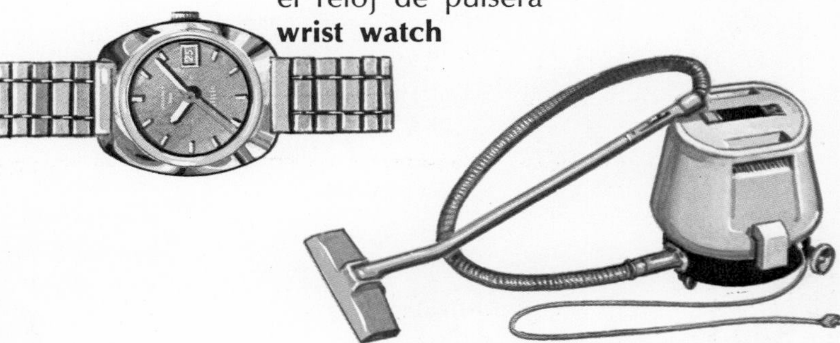

la aspiradora
vacuum cleaner

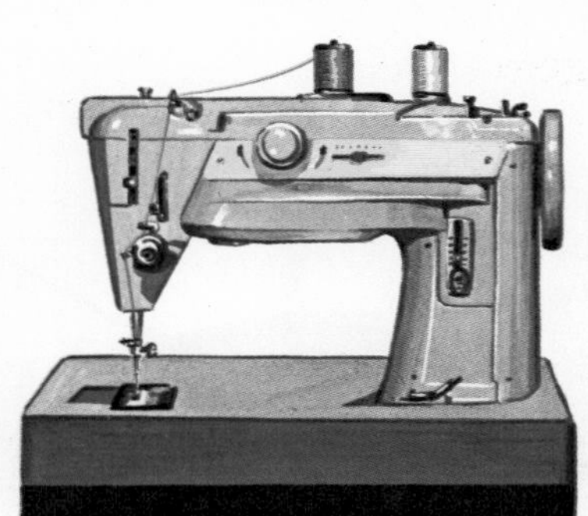

la máquina de coser
sewing machine

la plancha
iron

el tostador
toaster

la lavadora
washer

el teléfono
telephone

LAS COSAS — THINGS

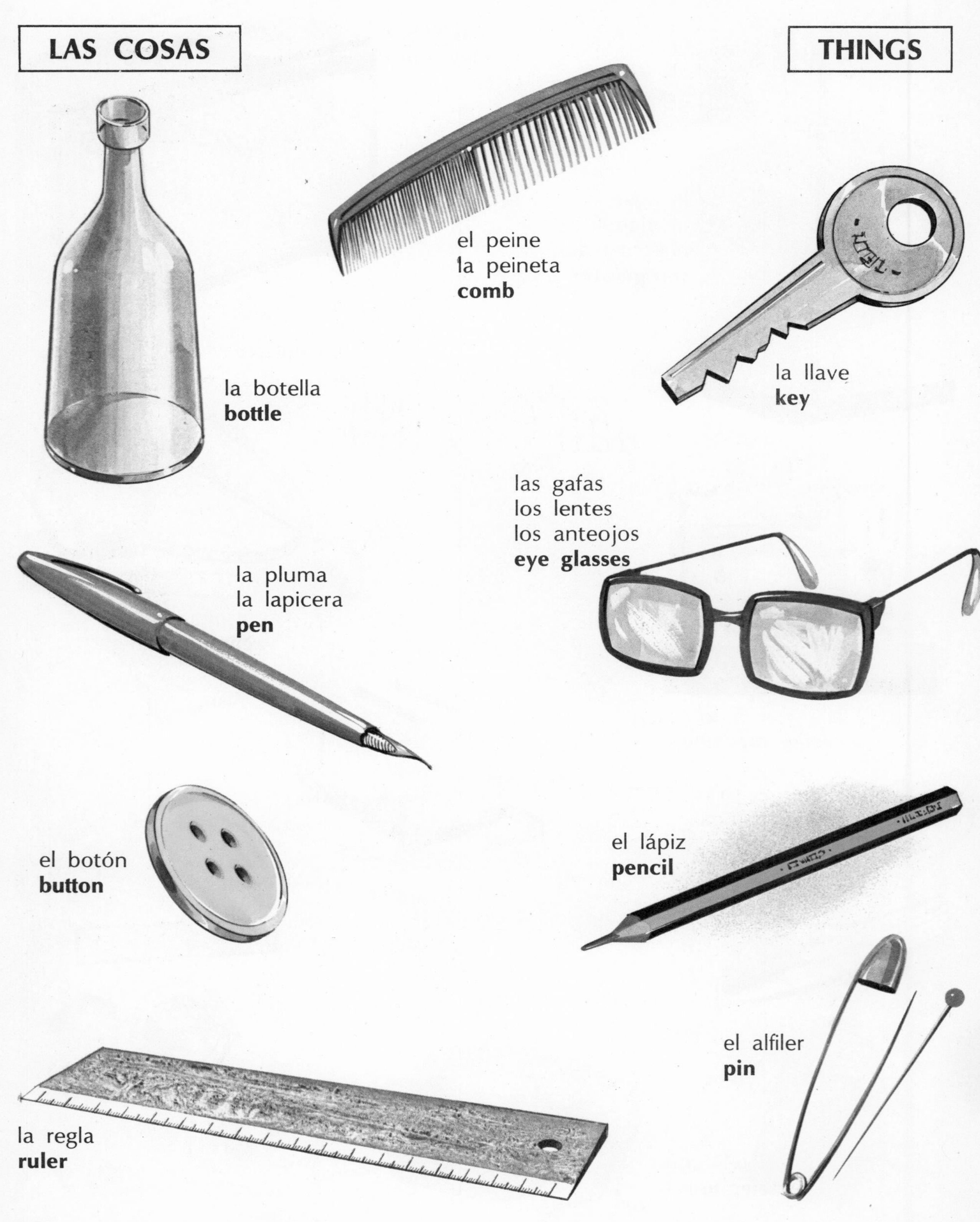

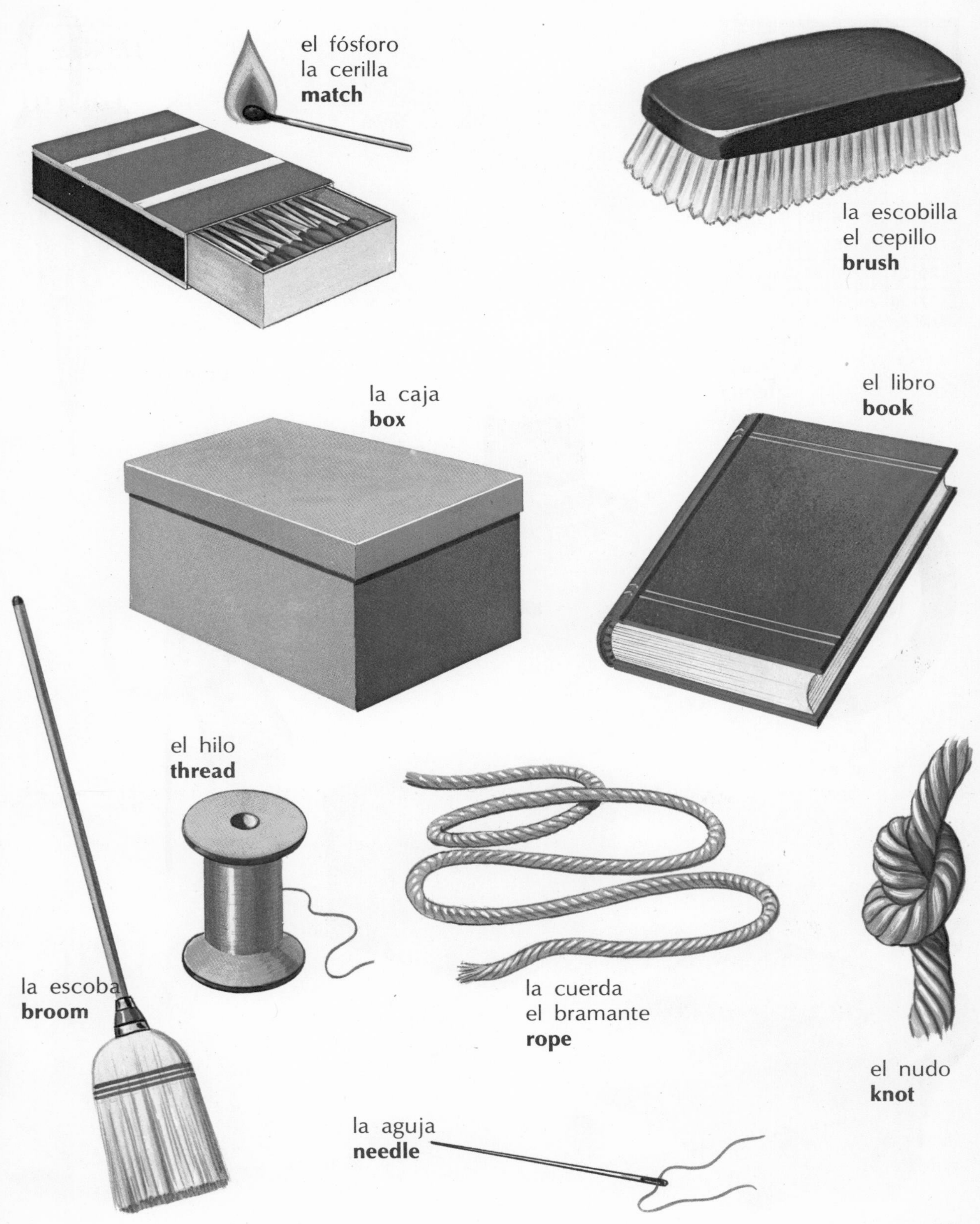
el fósforo
la cerilla
match
la escobilla
el cepillo
brush
la caja
box
el libro
book
el hilo
thread
la escoba
broom
la cuerda
el bramante
rope
el nudo
knot
la aguja
needle

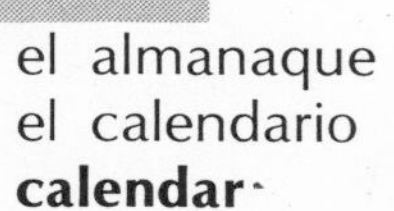

el almanaque
el calendario
calendar

el papel
paper

el paraguas
umbrella

la tinta
ink

la rueda
wheel

la bandera
flag

el paquete
parcel

la tela
el tejido
cloth

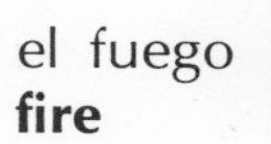

el fuego
fire

LOS COLORES

COLOURS

¿De qué color es tu pelota?
¿What colour is your ball?

Mi pelota es...
My ball is...

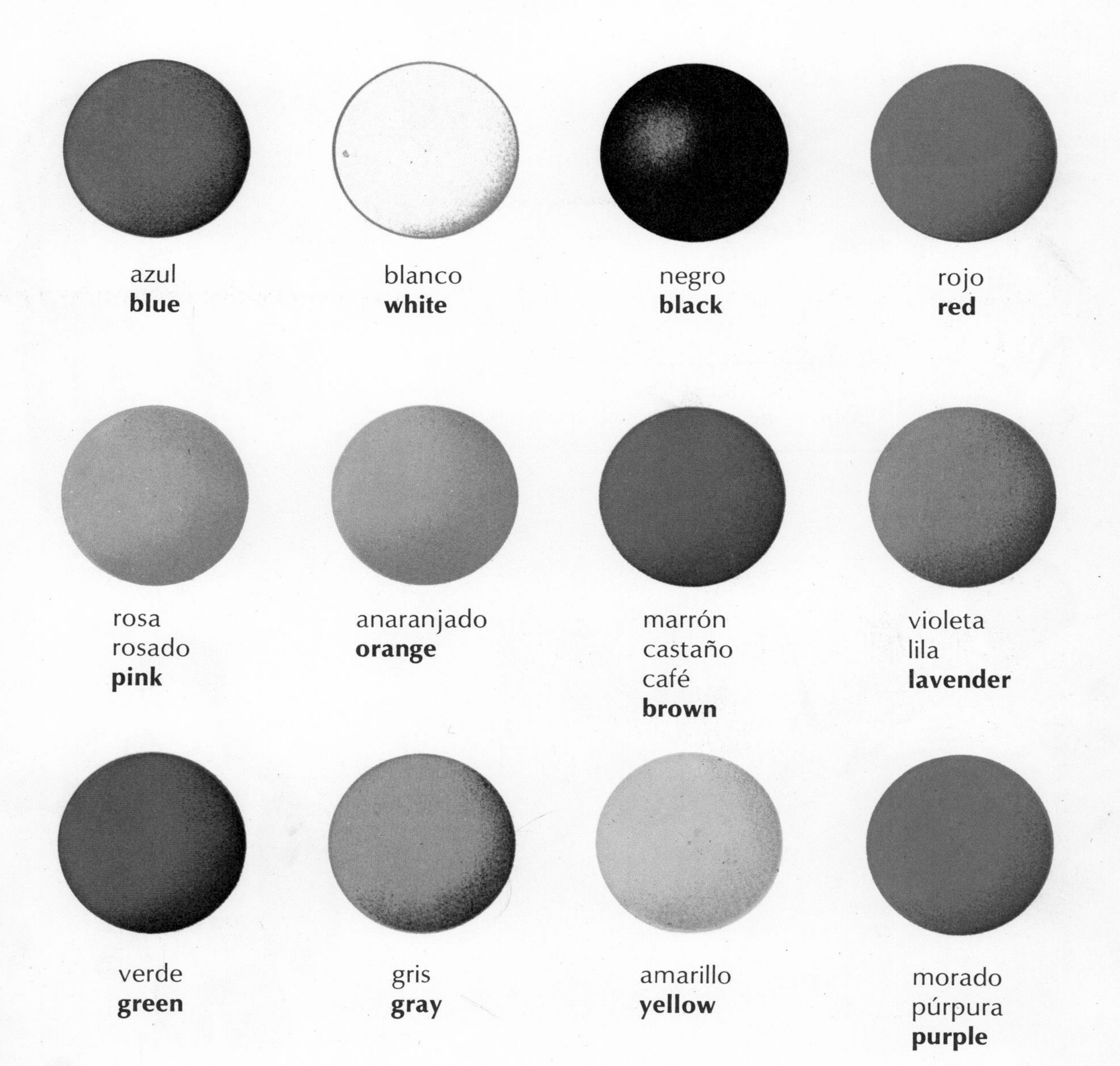

LO QUE HACEMOS

WHAT WE DO

comer
eat

Yo estoy comiendo
I am eating

Ana está bebiendo
Ann is drinking

beber
drink

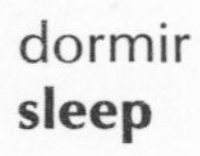

dormir
sleep

vestirse
dress

andar
caminar
walk

lavarse
wash

escribir
write

abrocharse
abotonar
button

leer
read

peinarse
comb

correrr
run
brincar
saltar
jump
subir
trepar
escalar
climb
doblar
fold
empujar
push
tirar
arrastrar
pull

envolver
empaquetar
liar
wrap

arrollar
enrollar
wind

mondar
pelar
peel

rasgar
romper
rajar
tear

romper
quebrar
break

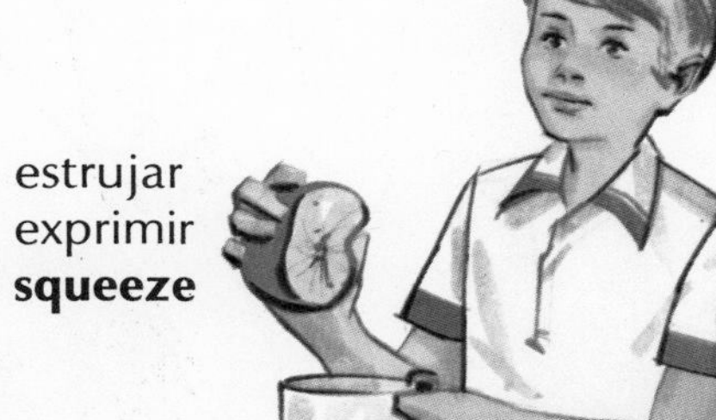

estrujar
exprimir
squeeze

hablar
speak

pintar
paint

cantar
sing

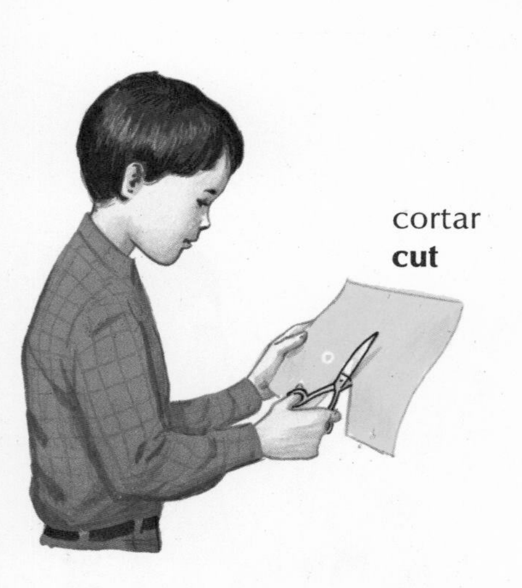

cortar
cut

trabajar
work

dibujar
draw

nadar
swim

planchar
iron

patinar
skate

soltar
botar
dejar caer
drop

barrer
escobar
sweep

pescar
fish

coser
sew

echar
lanzar
throw
conducir
manejar
montar
ride
chutar
chutear
dar patadas
kick
zambullirse
tirarse
echar un clavado
dive
agitar
batir
revolver
stir

EL TIEMPO

THE WEATHER

Las estaciones
Seasons

Primavera **Spring**

Verano **Summer**

Otoño **Autumn**

Invierno **Winter**

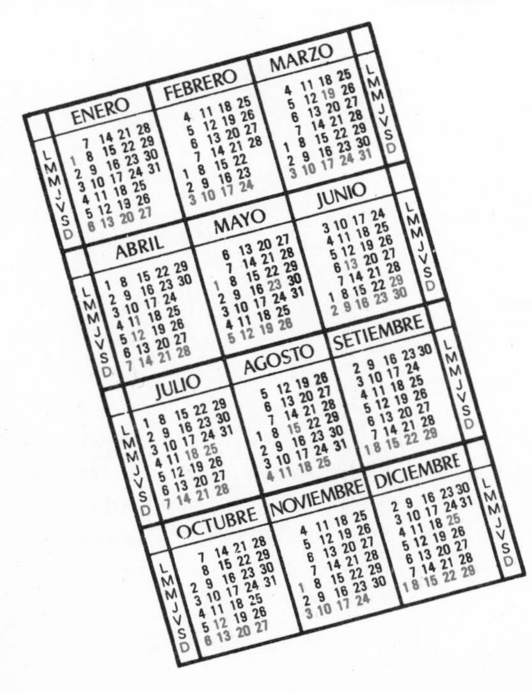

Enero	**January**
Febrero	**February**
Marzo	**March**
Abril	**April**
Mayo	**May**
Junio	**June**
Julio	**July**
Agosto	**August**
Septiembre	**September**
Octubre	**October**
Noviembre	**November**
Diciembre	**December**

un día
a day

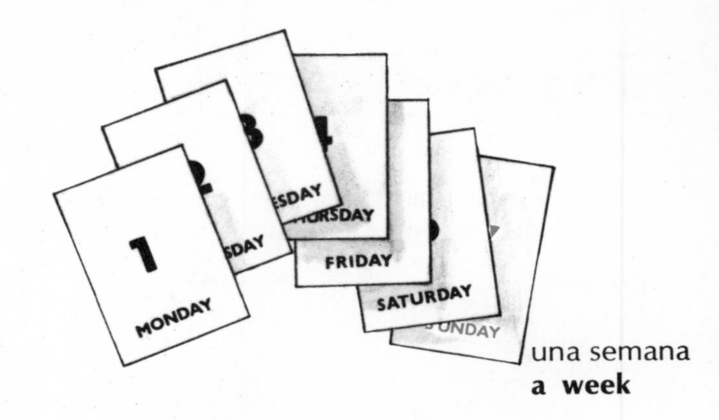

una semana
a week

un mes
a month

un año
a year

hoy	mañana	ayer
today	**tomorrow**	**yesterday**

esta mañana	esta tarde	esta noche
this morning	**this afternoon**	**this evening**

Los días de la semana son Lunes, Martes, Miércoles, Jueves, Viernes, Sábado, Domingo

The days of the week are Monday, Tuesday, Wednesday, Thursday, Friday, Saturday, Sunday

¿QUE TIEMPO HACE?

WHAT'S THE WEATHER LIKE?

hace buen tiempo
the weather is good

hace sol
It's sunny

hace mal tiempo
the weather is bad

no hace sol
It's dull

hace calor
It's hot

hace frío
It's cold

está lloviendo
It's raining

está nevando
It's snowing

está helando
It's freezing

hace un tiempo muy bueno
It's a splendid day

LAS PREGUNTAS

QUESTIONS

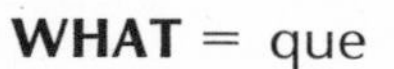

WHAT = que

¿Qué color tiene la mesa?
What colour is the table?

WHICH = cuál, cuáles

¿Cuál es nuestro maestro?
Which is our teacher?

WHERE = dónde

¿Dónde están vuestros libros?
Where are your books?

WHO = quién, quiénes

¿Quiénes son estos niños?
Who are those boys?

WHEN = cuándo

¿cuándo vendrán?
When will they come?

HOW = cómo, qué

¿Cómo está usted?
How are you?

¿QUE ES ESTO?

WHAT IS THIS?

esto es una llave
this is a key

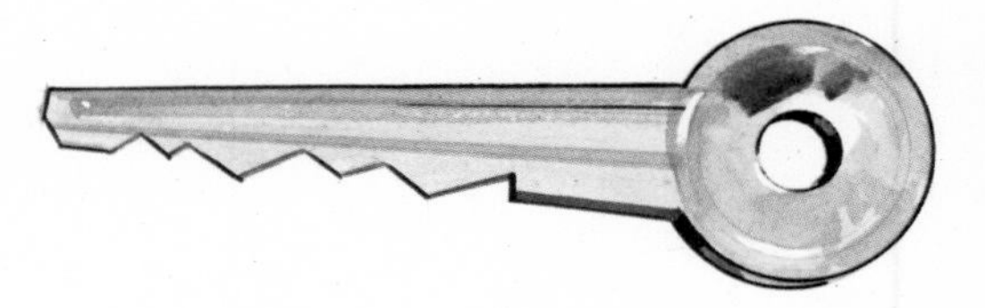

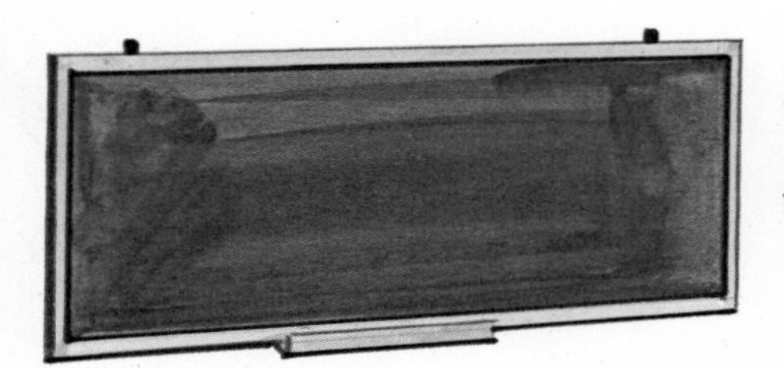

esto es una pizarra
esto es un pizarrón
this is a blackboard

esto es un mapa
this is a map

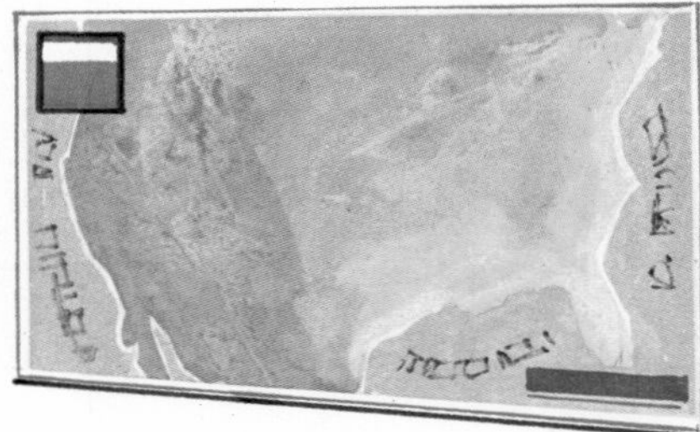

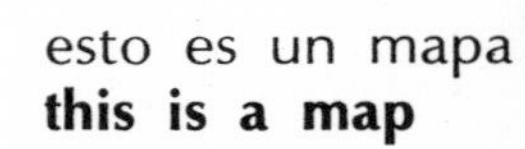

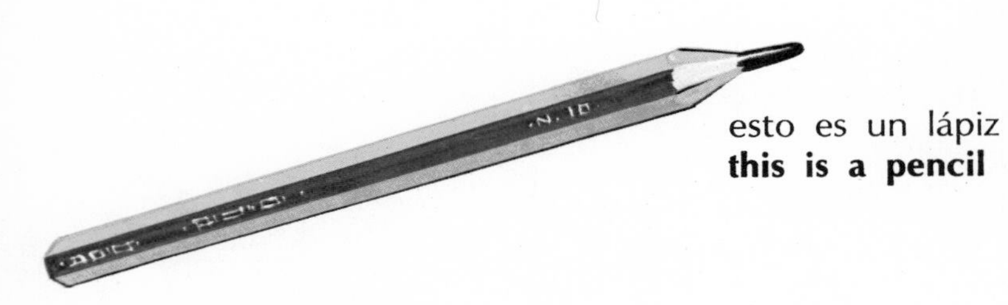

esto es un lápiz
this is a pencil

esto es una pluma fuente
esto es una estilográfica
this is a fountain-pen

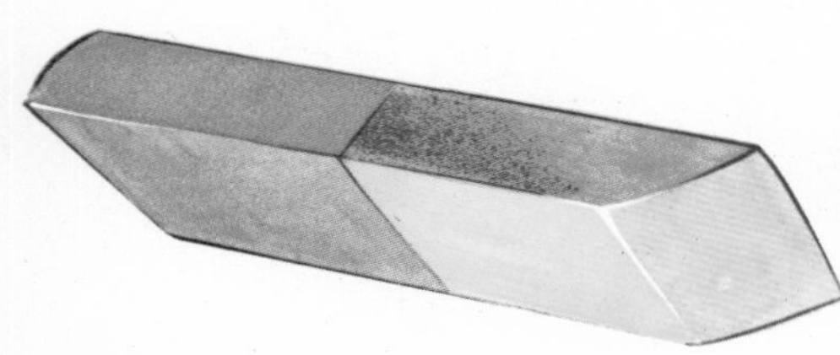

esto es un borrador
esta es una goma de borrar
this is an eraser

¿QUIEN ES QUIEN?

WHO IS WHO?

¿Quién eres tú?
Who are you?

Yo soy Juan
I am John

¿Quién es ella?
Who is she?

Ella es mi hermana
She is my sister

¿Quién es este hombre?
Who is this man?

Este hombre es mi padre
This man is my father

¿Quiénes son aquellos niños?
Who are those boys?

Aquellos niños son mis amigos
Those boys are my friends

Está aquí = **It is here**
Está allí = **It is there**

HERE—AQUI **THERE**—ALLI

Yo estoy aquí
I am here

Tú estás allí
You are there

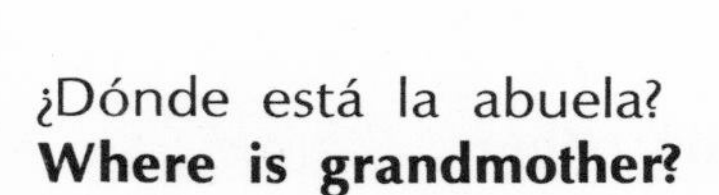

¿Dónde está la abuela?
Where is grandmother?

Grandmother is here
and grandfather is there

WHERE—¿DONDE? **HERE**—AQUI **THERE**—ALLI

¿DONDE ESTA?

WHERE IS IT?

IT IS...	**around** = alrededor **beside** = junto a, al lado de **between** = entre **at the end** = al final **far** = lejos **near** = cerca

Las velas están alrededor del pastel
The candles are around the cake

Mary se sienta al lado de Carolina
Mary sits beside Carolyn

Anita está entre su padre y su madre
Annie is between her father and her mother

Rosita está al final de la fila
Rosy is at the end of the line

La silla está cerca de la mesa
The chair is near the table

La puerta está lejos de la mesa
The door is far from the table

¿DONDE?

WHERE?

after = detrás, después
before = delante
behind = detrás
inside = dentro
out = fuera
outside = fuera

El gato corre detrás del ratón
The cat runs after the mouse

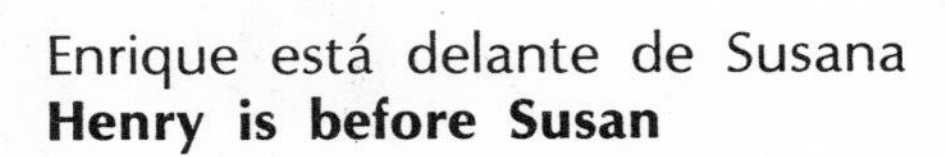

Enrique está delante de Susana
Henry is before Susan

Yo estoy detrás de la puerta
I am behind the door

Mamá está dentro de la casa
Mother is inside the house

El pájaro está fuera del nido
The bird is outside the nest

¿DONDE?

WHERE?

at= en (sobre)
in= en (dentro)
on= en (sobre, encima de)

Susana está en lo alto de la escalera
Susan is at the top of the ladder

El coche está en el garaje
The car is in the garage

El libro está en la mesa
The book is on the table

¿DONDE ESTA?

WHERE IS IT?

above = sobre, por encima
over = por encima
upon = sobre, encima de
below = bajo, por debajo de
downstairs = abajo
upstairs = arriba

El avión está sobre las nubes
The plane is above the clouds

El jet vuela por encima de las nubes
The jet flies over the clouds

Guillermo pone un libro encima de otro
William puts one book upon another

El cuadro pequeño está por debajo del cuadro grande
The little picture is below the big picture

El gato está arriba y el perro está abajo
The cat is upstairs and the dog is downstairs

¿COMO ES?	WHAT IS IT?

es un perro grande
it is a big dog

grande
big

es un perro pequeño
it is a little dog

pequeño
little

grueso
gordo
fat

delgado
flaco
thin

alto
tall

bajo
pequeño
petizo
short

OTRAS PALABRAS NECESARIAS

OTHER USEFUL WORDS

all = todo

El gato come todo el pescado
The cat eats all the fish

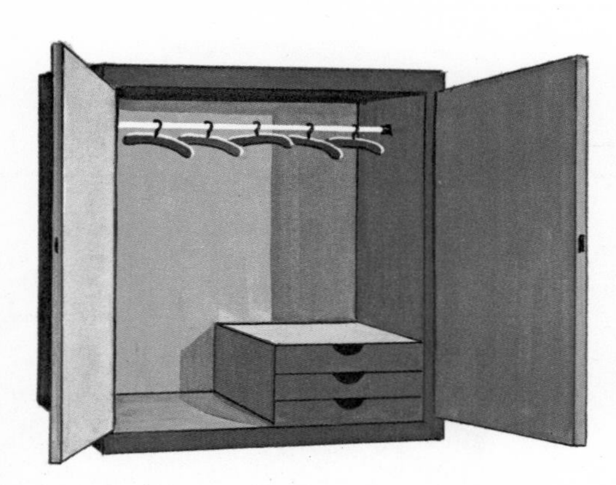

any = alguno
none = ninguno

¿Hay algún vestido en el armario?
Are there any clothes in the wardrobe?

No; no hay ninguno
No; there are none

because = porque

Me lavo las manos porque las tengo sucias
I wash my hands because they are dirty

but = pero

Tengo un lápiz, pero es pequeño
I have a pencil, but it is small

by = por

Yo voy por el camino
I go by the road

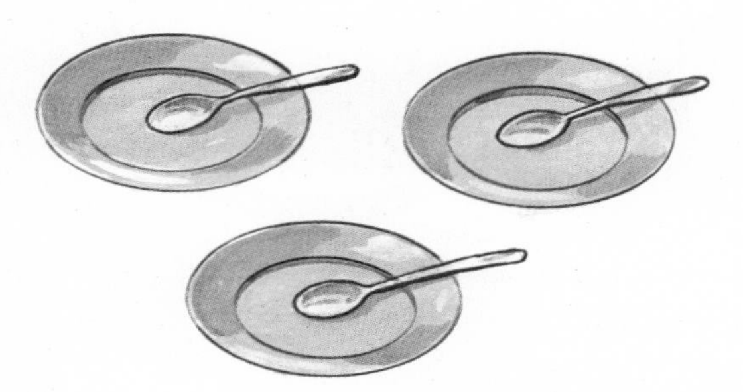

each = cada

Una cuchara en cada plato
A spoon on each plate

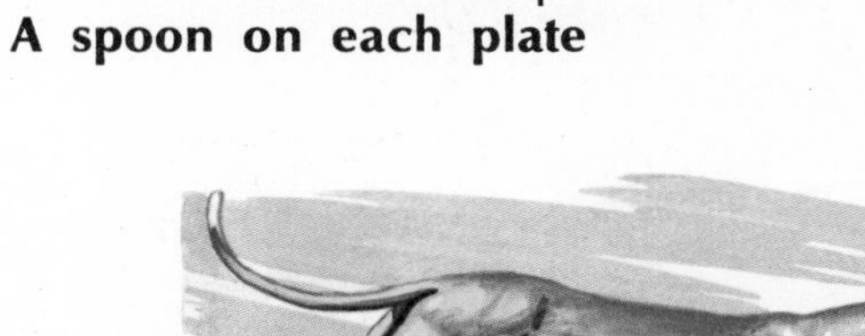

fast = de prisa, rápido
slow = lento
slowly = lentamente

La tortuga corre lentamente
The turtle runs slowly

El perro corre de prisa (o rápido)
The dog runs fast

few = algunos, pocos

Hay pocas manzanas en la cesta
There are few apples in the basket

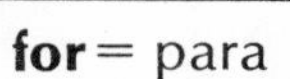

for = para

Este regalo es para mamá
This gift is for my mother

from = de, desde

El coche sale del garaje
The car is coming from the garage

full = lleno

La caja está llena
The box is full

of = de

La cesta está llena de fruta
The basket is full of fruit

only = solamente

Yo tengo solamente una flor
I have only one flower

some = algún, algunos

Algunos lápices son negros
Some of the pencils are black

INDICE

A

abajo	**downstairs**	76
abotonar	**button**	59
abrigo	**coat**	11
abril	**april**	65
abrocharse	**button**	59
abuela	**grandmother**	8
abuelo	**grandfather**	8
aceite y vinagre	**oil and vinegar**	17
acera	**sidewalk**	28
acoplado	**trailer**	46
aeronave	**airship**	47
aeroplano	**airplane**	47
aeropuerto	**airport**	32
agente	**policeman**	29
agitar	**stir**	64
agosto	**august**	65
agua	**water**	27
águila	**eagle**	44
aguja	**needle**	55
alfiler	**pin**	54
al final	**at the end**	73
alfombra	**carpet, rug**	14
algún, algunos	**some**	80
alguno	**any**	78
algunos, pocos	**few**	79
alicates	**pliers**	50
alimentos	**food**	21
almanaque	**calendar**	56
almendras	**nuts**	26
almohada	**pillow**	14
alrededor	**around**	73
alto	**tall**	77
allí	**there**	72
amarillo	**yellow**	57
amigo	**friend**	71
Ana	**Ann**	58
anaranjado	**orange**	57
anciana	**old woman**	19
anciano	**old man**	19
andar	**walk**	59
animales	**animals**	44
Anita	**Annie**	73
anteojos	**eye glasses**	54
año	**year**	66
aparador	**sideboard**	17
aparatos útiles	**useful machines**	52
aquellas-os, esas-os	**those**	71
aquí	**here**	72
armario	**wardrobe**	14
aro	**hoop**	9
artista	**artist**	48
arrastrar	**pull**	60
arriba	**upstairs**	76
arrollar	**wind**	61
asado de vaca	**roast beef**	21
ascensor	**elevator, lift**	15
asno	**donkey**	38
aspiradora	**vacuum cleaner**	53
auto	**car**	9
autobús	**bus**	46
automóvil	**car**	46
avenida	**avenue**	29
avión	**airplane, plane**	47, 76
ayer	**yesterday**	66
azada	**hoe**	51
azadón	**hoe**	51
azúcar	**sugar**	22
azul	**blue**	57

B

bajo	**short**	77
bajo, por debajo de	**below**	76
ballena	**whale**	45
banana	**banana**	24
banco	**bank**	31
bandera	**flag**	56
barbería	**barber shop, hairdresser**	33
barbero	**barber, hairdresser**	49
barbilla	**chin**	7
barca	**boat**	47
barco	**ship**	47
barquillo de helado	**ice cream cone**	25
barrer	**sweep**	63
bastón	**bat**	9
bate	**bat**	9
batido de chocolate	**chocolate milk**	27
batir	**stir**	64
bebé	**baby**	19
bebés	**babies**	19
beber	**drink**	58
bebidas	**drinks**	27
becerro	**calf**	36
biblioteca	**library**	31
bizcocho	**cake**	25
blanco	**white**	57
blusa	**blouse**	11

Español	English	Página
boca	**mouth**	7
bocadillo	**sandwich**	21
bombero	**fireman**	49
bombones	**sweets**	26
borrador	**eraser**	70
bosque	**forest**	34
botar	**drop**	63
botas	**boots**	12
bote	**boat**	47
botella	**bottle**	27, 54
boticario	**chemist, pharmacist**	49
botón	**button**	54
bramante	**rope**	55
brazo	**arm**	6
brincar	**jump**	60
budín	**pudding**	26
buque	**ship**	47
burro	**donkey**	38
butaca	**armchair**	17
buzón	**mailbox**	13

C

Español	English	Página
caballo	**horse**	38
cabellera	**hair**	7
cabello	**hair**	7
cabeza	**head**	6
cabra	**goat**	38
cabrito	**kid**	38
cacahuetes	**nuts**	26
cacao con leche	**chocolate milk**	27
cachorro	**puppy**	37
cada	**each**	79
cafe (color)	**brown**	57
café (bebida)	**coffee**	27
caja	**box**	55
calcetines	**socks**	12
caldo	**soup**	22
calendario	**calendar**	56
calzada	**street**	28
calzones	**pants, slacks, trousers**	11
calle	**street**	28
cama	**bed**	14
camarero	**waiter**	49
cambur	**banana**	24
camello	**camel**	42
caminar	**walk**	59
camino	**road**	35
camión	**truck**	46
camioneta	**truck**	46
camisa	**shirt**	11
campo	**country**	34
campo de labor	**field**	34
canario	**canary**	44
canguro	**kangaroo**	43
cantar	**sing**	62
capa de agua	**raincoat**	12
cara	**face**	6, 7
caramelos	**candy**	26
carne	**meat**	21
carne asada	**roast beef**	21
carnero	**sheep (ram)**	39
carnicero	**butcher**	48
Carolina	**Carolyn**	73
carpintero	**carpenter**	49
carretón	**truck**	46
carro	**car**	9, 46
carro de sitio	**cab, taxi, taxicab**	46
casa	**home, house**	13
casaca	**wind breaker**	12
castaño	**brown**	57
castor	**beaver**	42
cazadora	**wind breaker**	12
cebra	**zebra**	42
ceja	**eye brow**	7
centro comercial	**shopping center**	33
cepillo	**brush**	55
cerca	**near**	73
cerca	**fence**	13
cerdo	**pig**	38
cerezas	**cherries**	24
cerilla	**match**	55
cerveza	**beer**	27
cesta	**basket**	79
cielo	**sky**	34
ciervo	**deer**	43
cine	**cinema, movies**	32
cinturón	**belt**	12
circo	**circus**	32
ciruela	**plum**	24
cisne	**swan**	39
ciudad	**city**	28
clavo	**nail**	50
cobija	**blanket**	14
cocina	**kitchen**	16
cocodrilo	**crocodile**	42
cocono	**turkey**	37
coche	**car**	9, 46
coche de punto	**cab, taxi, taxicab**	46
colores	**colours**	57
comedor	**dining room**	16, 17
comer	**eat**	58
cómoda	**sideboard**	17
cómo es	**what is it**	77
cómo, qué	**how**	69
conducir	**ride**	64
conductor	**driver**	49
confites	**candy**	26
consomé	**soup**	22
corbata	**tie**	12
cordero	**lamb**	39
cortar	**cut**	62

corredor . . . . . **corridor** 16
correos . . . . . **post office** 30
correr . . . . . **run** 60
cosas . . . . . **things** 54
coser . . . . . **sew** 63
cuadro . . . . . **picture** 14
cuál, cuáles . . . . . **which** 69
cuándo . . . . . **when** 69
cuarto . . . . . **bedroom** 14
cuarto de baño . . . . . **bathroom** 15
cuchara . . . . . **spoon** 17
cuchillo . . . . . **knife** 17
cuello . . . . . **neck** 6, 7
cuerda . . . . . **rope** 55
cuerpo . . . . . **body** 6

CH

chancho . . . . . **pig** 38
chaqueta . . . . . **jacket** 12
china . . . . . **orange** 24
choclo . . . . . **corn** 23
chocolate con leche . . . . . **chocolate milk** 27
chófer . . . . . **driver** 49
chuleta . . . . . **chop** 21
chutar . . . . . **kick** 64
chutear . . . . . **kick** 64

D

dados . . . . . **dice** 10
dar patadas . . . . . **kick** 64
de . . . . . **of** 80
de, desde . . . . . **from** 80
dedos . . . . . **fingers** 6
dejar caer . . . . . **drop** 63
delantal . . . . . **apron** 12
delante . . . . . **before** 74
delgado . . . . . **thin** 77
dentro . . . . . **inside** 74
dependiente (el-la) . . . . . **salesclerk** 48
de prisa, rápido . . . . . **fast** 79
despertador . . . . . **alarm-clock** 14
destornillador . . . . . **screwdriver** 50
detrás . . . . . **behind** 74
detrás, después . . . . . **after** 74
día . . . . . **day** 66
dibujar . . . . . **draw** 62
diciembre . . . . . **december** 65
doblar . . . . . **fold** 60
doctor . . . . . **doctor** 49
domingo . . . . . **sunday** 66
dónde . . . . . **where** 69, 72, 74, 75
dónde está . . . . . **where is it** 72, 73, 76
dormir . . . . . **sleep** 58
dormitorio . . . . . **bedroom** 14
dulces . . . . . **cupcakes** 25

E

echar . . . . . **throw** 64
echar un clavado . . . . . **dive** 64
él . . . . . **he** 20
elefante . . . . . **elephant** 40
elevador . . . . . **elevator, lift** 15
ella . . . . . **she** 20
ellos . . . . . **they** 20
empaquetar . . . . . **wrap** 61
emparedado . . . . . **sandwich** 21
empujar . . . . . **push** 60
en (dentro) . . . . . **in** 75
en (sobre) . . . . . **at** 75
en (sobre, encima de) . . . . . **on** 75
enero . . . . . **january** 65
enfermera . . . . . **nurse** 48
Enrique . . . . . **Henry** 74
enrollar . . . . . **wind** 61
entre . . . . . **between** 73
envolver . . . . . **wrap** 61
escalar . . . . . **climb** 60
escalera . . . . . **ladder** 75
escalones . . . . . **steps** 13
escaparate . . . . . **shop window** 30
escoba . . . . . **broom** 55
escobar . . . . . **sweep** 63
escobilla . . . . . **brush** 55
escribir . . . . . **write** 59
escuela . . . . . **school** 30
espalda . . . . . **back** 6
esquina . . . . . **corner** 29
esta-e-o . . . . . **this** 8, 14
estas-os . . . . . **these** 10
estación . . . . . **rail road station** 32
estaciones . . . . . **seasons** 65
está helando . . . . . **it's freezing** 68
está lloviendo . . . . . **it's raining** 68
esta mañana . . . . . **this morning** 66
está nevando . . . . . **it's snowing** 68
esta noche . . . . . **this evening** 66
esta tarde . . . . . **this afternoon** 66
estilográfica . . . . . **fountain pen** 70
estrujar . . . . . **squeeze** 61
exprimir . . . . . **squeeze** 61

F

falda . . . . . **skirt** 11

familia	**family**	8
farmacia	**drugstore**	31
farmacéutico	**chemist, pharmacist**	49
farol	**lampost**	28
farola	**lampost**	28
febrero	**february**	65
fila	**line**	73
final, fin	**end**	73
finca	**field**	34
flaco	**thin**	77
flor	**flower**	80
foco de mano	**flashlight**	52
fonógrafo	**recordplayer**	52
fontanero	**plumber**	49
fósforo	**match**	55
frazada	**blanket**	14
frigorífico	**refrigerator**	53
frita	**hamburger**	22
frutas	**fruit**	23
fuego	**fire**	56
fuente	**fountain**	29
fuera	**out, outside**	74
furgón	**truck**	46
furgoneta	**truck**	46

G

gafas	**eye glasses**	54
galletas	**cookies**	25
gallina	**hen**	36
gallo	**rooster**	36
ganso	**goose**	37
garaje	**garage**	75
gásfiter	**plumber**	49
gatito	**kitten**	37
gato	**cat**	37
gelatina	**jell-o**	26
gente	**people**	18
globo	**balloon**	9
goma de borrar	**eraser**	70
gordo	**fat**	77
gorra	**cap**	12
gradas	**steps**	13
grande	**big**	77
granja	**farm**	34, 36
gris	**gray**	57
grueso	**fat**	77
guagua	**baby**	19
guajalote	**turkey**	37
guantes	**gloves**	12
guardia	**policeman**	29
Guillermo	**William**	76
guineo	**banana**	24
guitarra	**guitar**	10

H

habitaciones	**rooms**	15
hablar	**speak**	62
hace buen tiempo	**the weather is good**	67
hace calor	**it's hot**	67
hace frío	**it's cold**	67
hace mal tiempo	**the weather is bad**	67
hace sol	**it's sunny**	67
hace un tiempo muy bueno	**it's a splendid day**	68
hacha	**ax, axe**	51
hamburguesa	**hamburger**	22
helado	**ice cream**	25
helado de cucurucho	**ice cream cone**	25
helicóptero	**helicopter**	47
hermana	**sister**	8
hermano	**brother**	8
herramientas	**tools**	50
hilo	**thread**	55
hipopótamo	**hippopotamus**	41
hombre	**man**	19
hombres	**men**	19
hombro	**shoulder**	7
hospital	**hospital**	30
hoy	**today**	66
huerta	**garden**	34
huevos	**eggs**	21
huevos fritos	**fried eggs**	21

I

iglesia	**church**	30
impermeable	**raincoat**	12
inodoro	**toilet**	15
invierno	**winter**	65
ir	**go**	79
isla	**island**	35

J

jalea	**jelly, jam**	26
jardín	**garden**	29
jersey	**sweater**	11
jirafa	**giraffe**	41
joven	**young man**	18
joven	**young lady**	18
Juan	**John**	5
juego	**game**	10
jueves	**thursday**	66
jugo de limón	**lemon juice**	27
juguetes	**toys**	9, 10
julio	**july**	65

Español	English	Page
junio	**june**	65
junto a, al lado de	**beside**	73

L

Español	English	Page
labios	**lips**	7
lagartija	**lizard**	45
lagarto	**lizard**	45
lago	**lake**	35
lámpara	**lamp**	14
lámpara eléctrica	**flaslight**	52
lancha	**motor boat, launch**	47
lanzar	**throw**	64
lapicera	**pen**	54
lápiz	**pencil**	54
lavabo	**washbowl**	15
lavadora	**washer**	53
lavaplatos	**dish washer**	52
lavarse	**wash**	59
lavatorio	**washbowl**	15
leche	**milk**	27
lechuga	**lettuce**	23
leer	**read**	59
lejos	**far**	73
lentamente	**slowly**	79
lentes	**eye glasses**	54
lento	**slow**	79
león	**lion**	40
liar	**wrap**	61
libro	**book**	55
lila	**lavender**	57
lima	**file**	51
limón	**lemon**	24
linterna	**flaslight**	52
lobo	**wolf**	43
lugares	**places**	30
lunes	**monday**	66
lo que hacemos	**what we do**	58

LL

Español	English	Page
llana	**trowel**	51
llave	**key**	54
lleno	**full**	80

M

Español	English	Page
madre	**mother**	8
maestro	**teacher**	48
maíz	**corn**	23
mamá	**mom, mother**	8
mandil	**apron**	12
manejar	**ride**	64
maní	**nuts**	26
mano	**hand**	6
manta	**blanket**	14
manteca	**butter**	21
mantel	**table cloth**	17
mantequilla	**butter**	21
manzana	**apple**	23
mañana	**tomorrow**	66
mapa	**map**	70
máquina de coser	**sewing machine**	53
máquina de escribir	**typewriter**	52
máquinas que nos ayudan	**useful machines**	52
mar	**sea**	35
marinero	**seaman, sailor**	48
mariposa	**butterfly**	44
martes	**tuesday**	66
martillo	**hammer**	50
Mary	**Mary**	73
marzo	**march**	65
marrano	**pig**	38
marrón	**brown**	57
masitas	**cupcakes**	25
mayo	**may**	65
mecánico	**mechanic**	49
mecanógrafa	**typist**	49
médico	**doctor**	49
melón	**melon**	24
mentón	**chin**	7
mercado	**supermarket**	32
mermelada	**jelly, jam**	26
mes	**month**	66
mesa	**table**	17
mesero	**waiter**	49
mesita de luz	**night table**	14
mesita de noche	**night table**	14
metro	**underground, subway, tube**	46
miércoles	**wednesday**	66
mi, mis	**my**	5, 9
mofeta	**skunk**	43
mondar	**peel**	61
mono	**monkey**	41
montaña	**mountain**	35
montar	**ride**	64
morado	**purple**	57
mosca	**fly**	44
moto	**motorcycle**	46
mozo	**waiter**	49
muchacha	**child (girl)**	18
muchacho	**child (boy, young boy)**	18
muchachos	**children**	18
mujer	**woman**	19
mujeres	**women**	19
muñeca	**doll**	10
museo	**museum**	31

N

nadar	**swim**	63
naranja	**orange**	24
nariz	**nose**	7
navío	**ship**	47
negro	**black**	57
nene	**baby**	19
nevera	**refrigerator**	53
nido	**nest**	74
ninguno	**none**	78
niña	**girl, child**	5, 18
niño	**boy, child**	5, 18
niño pequeño	**baby**	19
niños	**children**	18
no hace sol	**it's dull**	67
nombre	**name**	5
nosotros	**we**	20
noviembre	**november**	65
nubes	**clouds**	76
nudo	**knot**	55
nueces	**nuts**	26
nuestra-o, nuestras-os	**our**	11

O

obrero	**workman**	48
octubre	**october**	65
oficio	**job**	48
ojo	**eye**	7
oreja	**ear**	7
oso	**bear**	41
otoño	**autumn**	65
otra-s, otro-s	**other**	44, 78
oveja	**sheep (ewe)**	39

P

padre	**father**	8
pájaro	**bird**	45
pala	**shovel, spade**	51
palabras necesarias	**useful words**	78
paleta	**trowel**	51
paloma	**dove, pigeon**	39
palustre	**trowel**	51
pan	**bread**	22
panadero	**baker**	48
pantalones	**pants, slacks, trousers**	11
pantano	**dam**	35
papá	**dad, father**	8
papas	**potatoes**	23
papel	**paper**	56
paquete	**parcel**	56
para	**for**	79
paraguas	**umbrella**	56
parque	**park**	29
parque de recreo	**playground**	33
pasillo	**corridor**	16
pastas	**cookies**	25
pastel	**cake**	25
pasteles	**cupcakes**	25
pastillas	**candy**	26
patatas	**potatoes**	23
patilla	**watermelon**	24
patinar	**skate**	63
patines	**skates**	9
pato	**duck**	39
pavo	**turkey**	37
peinarse	**comb**	59
peine	**comb**	54
peineta	**comb**	54
pelar	**peel**	61
pelo	**hair**	7
pelota	**ball**	9
peluquería	**barber shop, hairdresser**	33
peluquero	**barber, hairdresser**	49
pequeño	**short, little**	77
pera	**pear**	23
pero	**but**	78
personas	**people**	18
perrillo	**puppy**	37
perrito	**puppy**	37
perro	**dog**	37
pescado	**fish**	78
pescar	**fish**	63
petizo	**short**	77
pez	**fish**	44
pichón	**dove, pigeon**	39
pie	**foot**	6
pierna	**leg**	6
pies	**feet**	6
pijama	**pajama**	12
pintar	**paint**	62
pito	**whistle**	9
pizarra	**blackboard**	70
pizarrón	**blackboard**	70
plancha	**iron**	53
planchar	**iron**	63
plátano	**banana**	24
plato	**plate**	17
playa	**beach**	35
plaza	**square**	28
plomero	**plumber**	49
pluma	**pen**	54
pluma fuente	**fountain-pen**	70
policía	**policeman**	29
pollera	**skirt**	11
pollitos	**chicks**	36

pollo **chicken** 22
poner **put** 76
por **by** 79
por encima **over** 76
porqué **because** 78
postre **dessert** 25
potrillo **colt** 38
potro **colt** 38
preguntas **questions** 69
presa **dam** 35
primavera **spring** 65
profesión **occupation** 48
profesor **teacher** 48
pudín **pudding** 26
puente **bridge** 35
puerco **pig** 38
puerta **door** 13
púrpura **purple** 57

Q

qué **what** 69
quebrar **break** 61
qué es ésto **what is this** 70
queque **cake** 25
queso **cheese** 22
qué tiempo hace **what's the weather like** 67
quién, quiénes **who** 69
quién es quién **who is who** 71
quiosco de periódicos **newspaper stand** 33

R

radio (el-la) **radio** 52
rajar **tear** 61
rana **frog** 45
rancho **farm** 34, 36
rasgar **tear** 61
ratón **mouse** 45
reactor **jet** 47
refresco **iced drink** 27
refrigerador **refrigerator** 53
regalo **gift** 79
regla **ruler** 54
reloj **clock** 52
reloj de pulsera **wrist'watch** 53
remolque **trailer** 46
reno **reindeer** 43
represa **dam** 35
restaurante **restaurant** 31
retrato **picture** 8
retrete **toilet** 15
revolver **stir** 64
rinoceronte **rhinoceros** 41
río **river** 35
rojo **red** 57
rompecabezas **puzzle** 9
romper **break, tear** 61
ropero **wardrobe** 14
rosa, rosado **pink** 57
Rosita **Rosy** 73
rostro **face** 7
rueda **wheel** 56

S

sábado **saturday** 66
saco **jacket** 12
sala de estar **living room** 16
salchichas **sausages** 22
salero **salt shaker** 17
saltar **jump** 60
sandía **watermelon** 24
semáforo **traffic lights** 28
semana **week** 66
sentarse **sit** 73
señor **man** 19
señora **woman** 19
señoras **women** 19
señores **men** 19
septiembre **september** 65
servilleta **napkin** 17
serrucho **saw** 51
sierra **saw** 51
silbato **whistle** 9
sillas **chairs** 17
sillón **armchair** 17
sitios **places** 30
sobre, encima de **upon** 76
sobre, por encima de **above** 76
solamente **only** 80
soltar **drop** 63
sopa **soup** 22
subir **climb** 60
subte **subway, tube, underground** 46
sucio **dirty** 78
suéter **sweater** 11
supermercado **supermarket** 32
Susana **Susan** 10

T

tambor **drum** 9
tarta de chocolate **chocolate cake** 25
taxi **cab, taxi, taxicab** 46
taza **cup** 17

Español	English	Page
tazón	**bowl**	17
té	**tea**	27
teatro	**theater, theatre**	32
tejado	**roof**	13
tejido	**cloth**	56
tela	**cloth**	56
teléfono	**telephone**	53
telégrafos	**telegraph office**	31
televisor	**television, T.V.**	53
tenazas	**tongs**	50
tenedor	**fork**	17
ternero	**calf**	36
terno	**suit**	11
tiempo	**weather**	65
tigre	**tiger**	40
tijeras	**scissors**	50
tinta	**ink**	56
tirar	**pull**	60
tirarse	**dive**	64
tocadiscos	**recordplayer**	52
todo	**all**	78
tomate	**tomato**	23
tornillo	**screw**	50
toro	**bull**	36
torta	**cake**	25
torta de chocolate	**chocolate cake**	25
tortuga	**turtle**	45
tostador	**toaster**	53
trabajador	**workman**	48
trabajar	**work**	62
tractor	**tractor**	52
traje	**suit**	11
transatlántico	**transatlantic**	47
transporte	**transportation**	47
tren	**train**	46
trepar	**climb**	60
triciclo	**tricycle**	9
trompeta	**trumpet**	9
tú	**you**	20
tuya-o, vuestra-o	**your**	57

U

Español	English	Page
un, una	**a**	5
uvas	**grapes**	23

V

Español	English	Page
vaca	**cow**	36
valla	**fence**	13
valle	**valley**	35
vapor	**ship**	47
vaso	**glass**	17
vegetales	**vegetables**	23
vehículos	**vehicles**	46
velador	**night table**	14
velas	**candles**	73
venado	**deer**	43
venir	**come**	69
vendedor	**salesman**	48
vendedora	**saleslady**	48
ventanas	**windows**	13
verano	**summer**	65
vereda	**sidewalk**	28
verde	**green**	57
verja	**fence**	13
vestíbulo	**hall**	16
vestido	**dress**	11
vestidos	**clothes**	11
vestirse	**dress**	58
vieja	**old woman**	19
viejo	**old man**	19
viernes	**friday**	66
vino	**wine**	27
violeta	**lavender**	57
visitar	**visit**	40
vitrina	**shop window**	30
volar	**fly**	76
vosotros	**you**	20
vuestra-o, tuya-o	**your**	57

Y

Español	English	Page
yo	**I**	5, 8, 20
yo-yo	**yo-yo**	10

Z

Español	English	Page
zaguán	**hall**	16
zambullirse	**dive**	64
zanahorias	**carrots**	23
zapatero	**shoemaker**	48
zapatos	**shoes**	12
zoológico	**zoo**	40
zoquetes	**socks**	12
zorro	**fox**	42
zumo de limón	**lemon juice**	27

INDEX

A

a	un, una	5
above	sobre, por encima	76
after	detrás, después	74
airplane	aeroplano, avión	47
airport	aeropuerto	32
airship	aeronave	47
alarm-clock	despertador	14
all	todo	78
animals	animales	44
Ann	Ana	58
Annie	Anita	73
any	alguno	78
apple	manzana	23
april	abril	65
apron	delantal, mandil	12
arm	brazo	6
armchair	sillón, butaca	17
around	alrededor	73
artist	artista	48
at	en (sobre)	75
at the end	al final	73
august	agosto	65
autumn	otoño	65
avenue	avenida	29
ax	hacha	51
axe	hacha	51

B

babies	bebés	19
baby	bebé, guagua, nene, niño pequeño	19
back	espalda	6
baker	panadero	48
ball	pelota	9
balloon	globo	9
banana	banana, cambur, guineo, plátano	24
bank	banco	31
barber	barbero, peluquero	49
barber shop	barbería, peluquería	33
basket	cesta	79
bat	bastón, bate	9
bathroom	cuarto de baño	15
beach	playa	35
bear	oso	41
beaver	castor	42
because	porque	78
bed	cama	14
bedroom	cuarto, dormitorio	14
beer	cerveza	27
before	delante	74
behind	detrás	74
below	bajo, por debajo de	76
belt	cinturón	12
beside	junto a, al lado de	73
between	entre	73
big	grande	77
bird	pájaro	45
black	negro	57
blackboard	pizarra, pizarrón	70
blanket	cobija, frazada, manta	14
blouse	blusa	11
blue	azul	57
boat	barca, bote	47
body	cuerpo	6
book	libro	55
boots	botas	12
bottle	botella	27, 54
bowl	tazón	17
box	caja	55
boy	niño	5
bread	pan	22
break	quebrar, romper	61
bridge	puente	35
broom	escoba	55
brother	hermano	8
brown (colour)	café, castaño, marrón	57
brush	cepillo, escobilla	55
bull	toro	36
bus	autobús	46
but	pero	78
butcher	carnicero	48
butter	manteca, mantequilla	21
butterfly	mariposa	44
button	abotonar, abrocharse	59
button	botón	54
by	por	79

C

cab	carro de sitio, coche de punto, taxi	46
cake	bizcocho, pastel, queque, torta	25
calendar	almanaque, calendario	56
calf	becerro, ternero	36

camel . . . camello . . . 42
canary . . . canario . . . 44
candles . . . velas . . . 73
candy . . . caramelos, confites, pastillas . . . 26
cap . . . gorra . . . 12
car . . . carro, coche, auto, automóvil . . 9, 46
Carolyn . . . Carolina . . . 73
carpenter . . . carpintero . . . 49
carpet . . . alfombra . . . 14
carrots . . . zanahorias . . . 23
cat . . . gato . . . 37
cinema . . . cine . . . 32
circus . . . circo . . . 32
city . . . ciudad . . . 28
climb . . . escalar, subir, trepar . . . 60
clock . . . reloj . . . 52
cloth . . . tejido, tela . . . 56
clothes . . . vestidos . . . 11
clouds . . . nubes . . . 76
coat . . . abrigo . . . 11
coffee (drink) . . . café . . . 27
colours . . . colores . . . 57
colt . . . potro, potrillo . . . 38
comb . . . peinarse . . . 59
comb . . . peine, peineta . . . 54
come . . . venir . . . 69
cookies . . . galletas, pastas . . . 25
corn . . . maíz, choclo . . . 23
corner . . . esquina . . . 29
corridor . . . corredor, pasillo . . . 16
country . . . campo . . . 34
cow . . . vaca . . . 36
crocodile . . . cocodrilo . . . 42
cup . . . taza . . . 17
cupcakes . . . dulces, masitas, pasteles . . . 25
cut . . . cortar . . . 62

CH

chairs . . . sillas . . . 17
cheese . . . queso . . . 22
chemist . . . boticario, farmacéutico . . . 49
cherries . . . cerezas . . . 24
chicken . . . pollo . . . 22
chicks . . . pollitos . . . 36
child (boy) . . . muchacho, niño . . . 18
child (girl) . . . muchacha, niña . . . 18
children . . . muchachos, niños . . . 18
chin . . . barbilla, mentón . . . 7
chocolate cake . . . tarta, torta de chocolate . . . 25
chocolate milk . . . batido de chocolate, cacao con leche, chocolate con leche . . . 27
chop . . . chuleta . . . 21
church . . . iglesia . . . 30

D

dad . . . papá . . . 8
dam . . . pantano, presa, represa . . . 35
day . . . día . . . 66
december . . . diciembre . . . 65
deer . . . ciervo, venado . . . 43
dessert . . . postre . . . 25
dice . . . dados . . . 10
dining room . . . comedor . . . 16, 17
dirty . . . sucio . . . 78
dish washer . . . lavaplatos . . . 52
dive . . . echar un clavado, tirarse, zambullirse . . . 64
doctor . . . doctor, médico . . . 49
dog . . . perro . . . 37
doll . . . muñeca . . . 10
donkey . . . burro, asno . . . 38
door . . . puerta . . . 13
dove . . . paloma, pichón . . . 39
downstairs . . . abajo . . . 76
draw . . . dibujar . . . 62
dress . . . vestirse . . . 58
dress . . . vestido . . . 11
drink . . . beber . . . 58
drinks . . . bebidas . . . 27
driver . . . conductor, chófer . . . 49
drop . . . botar, dejar caer, soltar . . . 63
drugstore . . . farmacia . . . 31
drum . . . tambor . . . 9
duck . . . pato . . . 39

E

each . . . cada . . . 79
eagle . . . águila . . . 44
ear . . . oreja . . . 7
eat . . . comer . . . 58
eggs . . . huevos . . . 21
elephant . . . elefante . . . 40
elevator . . . ascensor, elevador . . . 15
end . . . fin, final . . . 73
eraser . . . borrador, goma de borrar . . . 70
eye . . . ojo . . . 7
eye brow . . . ceja . . . 7
eye glasses . . . anteojos, gafas, lentes . . . 54

F

face . . . cara, rostro . . . 6, 7
family . . . familia . . . 8
far . . . lejos . . . 73

farm	granja, rancho	34, 36
fast	de prisa, rápido	79
fat	gordo, grueso	77
father	padre, papá	8
february	febrero	65
feet	pies	6
fence	cerca, valla, verja	13
few	algunos, pocos	79
field	campo de labor, finca	34
file	lima	51
fingers	dedos	6
fire	fuego	56
fireman	bombero	49
fish	pescar	63
fish	pez, pescado	44, 78
flag	bandera	56
flashlight	linterna, foco de mano, lámpara eléctrica	52
flower	flor	80
fly	mosca	44
fly	volar	76
friday	viernes	66
fried eggs	huevos fritos	21
friend	amigo	71
fold	doblar	60
food	alimentos	21
foot	pie	6
for	para	79
forest	bosque	34
fork	tenedor	17
fountain	fuente	29
fountain-pen	pluma fuente, estilográfica	70
fox	zorro	42
frog	rana	45
from	de, desde	80
fruit	frutas	23
full	lleno	80

G

game	juego	10
garage	garaje	75
garden	huerta, jardín	29, 34
gift	regalo	79
giraffe	jirafa	41
girl	niña	5
glass	vaso	17
gloves	guantes	12
go	ir	79
goat	cabra	38
goose	ganso	37
grandfather	abuelo	8
grandmother	abuela	8
grapes	uvas	23
gray	gris	57
green	verde	57
guitar	guitarra	10

H

hair	cabellera, cabello, pelo	7
hairdresser	barbero, peluquero	49
hairdresser	barbería, peluquería	33
hall	vestíbulo, zaguán	16
hamburger	hamburguesa, frita	22
hammer	martillo	50
hand	mano	6
he	él	20
head	cabeza	6
helicopter	helicóptero	47
hen	gallina	36
Henry	Enrique	74
here	aquí	72
hippopotamus	hipopótamo	41
hoe	azada, azadón	51
home	casa	13
hoop	aro	9
horse	caballo	38
hospital	hospital	30
house	casa	13
how	cómo, qué	69

I

I	yo	5, 8, 20
ice cream	helado	25
ice cream cone	barquillo de helado, helado de cucurucho	25
iced drink	refresco	27
in	en, dentro	75
ink	tinta	56
inside	dentro	74
iron	planchar	63
iron	plancha	53
island	isla	35
it's a splendid day	hace un tiempo muy bueno	68
it's cold	hace frío	67
it's dull	no hace sol	67
it's freezing	está helando	68
it's hot	hace calor	67
it's raining	está lloviendo	68
it's snowing	está nevando	68
it's sunny	hace sol	67

J

jacket	chaqueta, saco	12

jam	jalea, mermelada	26
january	enero	65
jell-o	gelatina	26
jelly	jalea, mermelada	26
jet	reactor	47
job	oficio	48
John	Juan	5
july	julio	65
jump	brincar, saltar	60
june	junio	65

K

kangaroo	canguro	43
key	llave	54
kick	chutar, chutear, dar patadas	64
kid	cabrito	38
kitchen	cocina	16
kitten	gatito	37
knife	cuchillo	17
knot	nudo	55

L

ladder	escalera	75
lake	lago	35
lamb	cordero	39
lamp	lámpara	14
lampost	farol, farola	28
launch	lancha	47
lavender	lila, violeta	57
leg	pierna	6
lemon	limón	24
lemon juice	jugo de limón, zumo de limón	27
lettuce	lechuga	23
library	biblioteca	31
lift	ascensor, elevador	15
line	fila	73
lion	león	40
lips	labios	7
little	pequeño	77
living room	sala de estar	16
lizard	lagartija, lagarto	45

M

mailbox	buzón	13
man	señor, hombre	19
map	mapa	70
march	marzo	65
Mary	Mary	73
match	cerilla, fósforo	55
may	mayo	65
meat	carne	21
mechanic	mecánico	49
melon	melón	24
men	señores, hombres	19
milk	leche	27
mom	mamá	8
monday	lunes	66
monkey	mono	41
month	mes	66
mother	madre, mamá	8
motorboat	lancha	47
motorcycle	moto	46
mountain	montaña	35
mouse	ratón	45
mouth	boca	7
movies	cine	32
museum	museo	31
my	mi, mis	5, 9

N

nail	clavo	50
name	nombre	5
napkin	servilleta	17
near	cerca	73
neck	cuello	6, 7
needle	aguja	55
nest	nido	74
newspaper stand	quiosco de periódicos	33
night table	mesita de luz, mesita de noche, velador	14
none	ninguno	78
nose	nariz	7
november	noviembre	65
nurse	enfermera	48
nuts	almendras, cacahuetes, maní, nueces	26

O

occupation	profesión	48
october	octubre	65
of	de	80
oil and vinegar	aceite y vinagre	17
old man	anciano, viejo	19
old woman	anciana, vieja	19
on	en (sobre, encima de)	75
only	solamente	80
orange	anaranjado, china, naranja	24, 57
other	otra-s, otro-s	44, 78
our	nuestra-o, nuestras-os	11

out . . . . . fuera 74
outside . . . . . fuera 74
over . . . . . por encima 76

P

paint . . . . . pintar 62
pajamas . . . . . pijama 12
pants . . . . . calzones, pantalones 11
paper . . . . . papel 56
parcel . . . . . paquete 56
park . . . . . parque 29
pear . . . . . pera 23
peel . . . . . mondar, pelar 61
pen . . . . . lapicera, pluma 54
pencil . . . . . lápiz 54
people . . . . . gente, personas 18
pharmacist . . . . . boticario, farmacéutico 49
picture . . . . . cuadro, retrato 8, 14
pig . . . . . cerdo, puerco, marrano, chancho. 38
pigeon . . . . . paloma, pichón 39
pillow . . . . . almohada 14
pin . . . . . alfiler 54
pink . . . . . rosa, rosado 57
places . . . . . lugares, sitios 30
plane . . . . . avión 76
plate . . . . . plato 17
playground . . . . . parque de recreo 33
pliers . . . . . alicates 50
plum . . . . . ciruela 24
plumber . . . . . fontanero, gásfiter, plomero 49
policeman . . . . . agente, guardia, policía 29
post office . . . . . correos 30
potatoes . . . . . papas, patatas 23
pudding . . . . . budín, pudín 26
pull . . . . . arrastrar, tirar 60
puppy . . . . . cachorro, perrillo, perrito 37
purple . . . . . morado, púrpura 57
push . . . . . empujar 60
put . . . . . poner 76
puzzle . . . . . rompecabezas 9

Q

questions . . . . . preguntas 69

R

radio . . . . . radio (el-la) 52
rail road station . . . . . estación 32
raincoat . . . . . capa de agua, impermeable 12
read . . . . . leer 59
recordplayer . . . . . fonógrafo, tocadiscos 52
red . . . . . rojo 57
refrigerator . . . . . frigorífico, nevera, refrigerador 53
reindeer . . . . . reno 43
restaurant . . . . . restaurante 31
rhinoceros . . . . . rinoceronte 41
ride . . . . . conducir, manejar, montar 64
river . . . . . río 35
road . . . . . camino 35
roast beef . . . . . asado de vaca, carne asada 21
roof . . . . . tejado 13
rooms . . . . . habitaciones 15
rooster . . . . . gallo 36
rope . . . . . bramante, cuerda 55
Rosy . . . . . Rosita 73
rug . . . . . alfombra 14
ruler . . . . . regla 54
run . . . . . correr 60

S

sailor . . . . . marinero 48
salesclerk . . . . . dependiente (el-la) 48
saleslady . . . . . vendedora 48
salesman . . . . . vendedor 48
sandwich . . . . . bocadillo, emparedado 21
saturday . . . . . sábado 66
sausages . . . . . salchichas 22
saw . . . . . serrucho, sierra 51
scissors . . . . . tijeras 50
screw . . . . . tornillo 50
screwdriver . . . . . destornillador 50
school . . . . . escuela 30
sea . . . . . mar 35
seaman . . . . . marinero 48
seasons . . . . . estaciones 65
salt shaker . . . . . salero 17
september . . . . . septiembre 65
sew . . . . . coser 63
sewing machine . . . . . máquina de coser 53
she . . . . . ella 20
sheep (ewe) . . . . . oveja 39
sheep (ram) . . . . . carnero 39
ship . . . . . barco, buque, navío, vapor 47
shirt . . . . . camisa 11
shoemaker . . . . . zapatero 48
shoes . . . . . zapatos 12
shop window . . . . . escaparate, vitrina 30
shopping center . . . . . centro comercial 33
short . . . . . bajo, pequeño, petizo 77
shoulder . . . . . hombro 7
shovel . . . . . pala 51
sideboard . . . . . aparador, cómoda 17
sidewalk . . . . . acera, vereda 28

English	Spanish	Page
sing	cantar	62
sister	hermana	8
sit	sentarse	73
skate	patinar	63
skates	patines	9
skirt	falda, pollera	11
skunk	mofeta	43
sky	cielo	34
slacks	calzones, pantalones	11
sleep	dormir	58
slow	lento	79
slowly	lentamente	79
socks	calcetines, zoquetes	12
some	algún, algunos	80
soup	sopa, caldo, consomé	22
spade	pala	51
speak	hablar	62
spoon	cuchara	17
spring	primavera	65
square	plaza	28
squeeze	exprimir, estrujar	61
steps	escalones, gradas	13
stir	agitar, batir, revolver	64
street	calzada, calle	28
subway	metro, subte	46
sugar	azúcar	22
suit	traje, terno	11
summer	verano	65
sunday	domingo	66
supermarket	mercado, supermercado	32
Susan	Susana	10
swan	cisne	39
sweater	jersey, suéter	11
sweep	barrer, escobar	63
sweets	bombones	26
swim	nadar	63

T

English	Spanish	Page
table	mesa	17
table cloth	mantel	17
tall	alto	77
taxi, taxicab	carro de sitio, coche de punto, taxi	46
tea	té	27
teacher	maestro, profesor	48
tear	rasgar, rajar, romper	61
telegraph office	telégrafo	31
telephone	teléfono	53
television, T.V.	televisor	53
theater	teatro	32
theatre	teatro	32
there	allí	72
these	éstas-os	10
they	ellos	20
thin	delgado, flaco	77
things	cosas	54
this	ésta-e-o	8, 14
this afternoon	esta tarde	66
this evening	esta noche	66
this morning	esta mañana	66
those	aquellas-os, esas-os	71
thread	hilo	55
throw	echar, lanzar	64
thursday	jueves	66
tie	corbata	12
tiger	tigre	40
toaster	tostador	53
today	hoy	66
toilet	inodoro, retrete	15
tomato	tomate	23
tomorrow	mañana	66
tongs	tenazas	50
tools	herramientas	50
toys	juguetes	9, 10
tractor	tractor	52
traffic lights	semáforo	28
trailer	acoplado, remolque	46
train	tren	46
transatlantic	transatlántico	47
transportation	transporte	47
tricycle	triciclo	9
trousers	calzones, pantalones	11
trowel	llana, paleta, palustre	51
truck	camión, camioneta, carretón, furgón, furgoneta	46
trumpet	trompeta	9
tube	metro, subte	46
tuesday	martes	66
turkey	cocono, guajalote, pavo	37
turtle	tortuga	45
typewriter	máquina de escribir	52
typist	mecanógrafa	49

U

English	Spanish	Page
umbrella	paraguas	56
underground	metro, subte	46
upon	sobre, encima de	76
upstairs	arriba	76
useful machines	aparatos útiles, máquinas que nos ayudan	52
useful words	palabras necesarias	78

V

English	Spanish	Page
vacuum cleaner	aspiradora	53
valley	valle	35

English	Español	Page
vegetables	vegetales	23
vehicles	vehículos	46
visit	visitar	40

W

English	Español	Page
waiter	camarero, mesero, mozo	49
walk	andar, caminar	59
wardrobe	armario, ropero	14
wash	lavarse	59
washbowl	lavabo, lavatorio	15
washer	lavadora	53
water	agua	27
watermelon	sandía, patilla	24
we	nosotros	20
weather	tiempo	65
weather is bad	hace mal tiempo	67
weather is good	hace buen tiempo	67
wednesday	miércoles	66
week	semana	66
whale	ballena	45
what	qué	69
what is it	cómo es	77
what is this	qué es ésto	70
what we do	lo que hacemos	58
what's the weather like	qué tiempo hace	67
wheel	rueda	56
when	cuándo	69
where	dónde	69
where is it	dónde está	72
which	cuál, cuáles	69
whistle	pito, silbato	9
white	blanco	57
who	quién, quiénes	69
who is who	quién es quién	71
William	Guillermo	76
wind	arrollar, enrollar	61
windows	ventanas	13
wine	vino	27
wind breaker	casaca, cazadora	12
winter	invierno	65
wolf	lobo	43
woman	mujer, señora	19
women	mujeres, señoras	19
work	trabajar	62
workman	obrero, trabajador	48
wrap	empaquetar, envolver, liar	61
wrist watch	reloj de pulsera	53
write	escribir	59

Y

English	Español	Page
year	año	66
yellow	amarillo	57
yesterday	ayer	66
yo-yo	yo-yo	10
you	tú, vosotros	20
young boy	muchacho	18
young lady	joven	18
young man	joven	18
your	tuya-o, vuestra-o	57

Z

English	Español	Page
zebra	cebra	42
zoo	zoológico	40